朝日新書
Asahi Shinsho 831

私たちはどう生きるか

コロナ後の世界を語る２

マルクス・ガブリエル　オードリー・タン
東 浩紀　桐野夏生
阿川佐和子　ほか
朝日新聞社・編

朝日新聞出版

まえがき

いま世界が抱える最大の危機は、核戦争ではなく、感染性の高いウイルスのパンデミック（世界的大流行）だ。しかし、私たちはその備えが出来ていない。

2015年、異分野の専門家が集うプレゼン・イベント「TED Talks」で、こんな警告を発したのは、マイクロソフトの共同創業者、ビル・ゲイツ氏だった。彼は、当時、アフリカで起きたエボラ出血熱がパンデミックに至らなかったのは「幸運に過ぎない」と語り、新たなウイルス出現に備えよと訴えた。WHO（世界保健機関）など世界の専門家が協力して未知のウイルス感染症を抑え込もうと奮闘する映画『コンテイジョン』を紹介しながら、「映画のようなことができる資金はありません」。そして、一刻も早い防疫体制づくりを聴衆に呼びかけ、こう結んだ。「いま始めれば、間に合います」。

しかし、彼の願いはかなわなかった。2020年、新型コロナウイルス感染症（COVID－19）のパンデミックが発生した。前年末に中国の武漢市で感染者が出たこのウイルスは致死率は高くない一方で感染してもすぐに症状が出ない。治療法が確立しないなかで、各国は、社会・経済機能を停止させる「荒療治」で感染拡大を防ぐしか手がなかった。世界経済は二つの世界大戦と世界恐慌に次ぐ、近現代史上4番目の規模となる危機に陥った。発生から1年以上たっても、変異を重ねるウイルスは各地で猛威を振るっている。世界の感染者数は、21年7月10日現在で1億8600万人、死者数は400万人を超えた。ワクチンは開発されたものの、世界中のだれもが、「明日、感染して死ぬかもしれない」といった不安と隣り合わせの憂鬱な生活を強いられている。

コロナ禍は、各国のリーダーたちの力量も明るみにさらした。米国は事態を軽視したトランプ前大統領の下で世界最多の死者を出したが、バイデン大統領は徹底的なワクチン対策で巻き返した。アジアでは、台湾の蔡英文総統や韓国の文在寅大統領が初期段階での抑止に成功した。史上最長となる7年8カ月の長期政権を達成した安倍晋三首相は、学校の一斉休校やマスク2枚の全戸配布といった場当たり的な政策が批判されると、退陣を表明。後継の菅義偉首相も人の流れを増やす「Go To」キャンペーンの推奨などちぐはぐな政策対応が目立った。東京五輪・パラリンピックを無事に開催し、「人類がコロナに打ち勝った証し」にできるかどうかが政権浮沈のカギを握る。

コロナ禍をきっかけに大きく変容した世界。あぶり出された分断や格差は是正されるのか。民主主義や資本主義という経済・社会システムは維持されるのか。人々の死生観は変わるのか。何よりも私たちはどう生きればよいのか。未来は見通しづらい。

振り返れば、感染症は、人類史に大きな影響を与えてきた。14世紀のペストは封建社会が近代市民社会に移行するきっかけとなったし、20世紀のスペイン風邪は5億人以上が感染し、第1次世界大戦の終結を早めることになった。21世紀の新型コロナも、後世の歴史家によって、歴史の分岐点として刻まれるだろう。

いまメディアに求められているのは、世界のあるべき未来の方向を示す「羅針盤」の役目ではないか――。朝日新聞のオピニオン編集部や国際報道部をはじめ各部の記者はそんな思いを抱き、国内外の知識人たちの言葉をインタビュー記事にして日々、紙面やデジタルで発信している。本書は、これらの記事をまとめた朝日新聞デジタルの連載ページ「コロナ後の世界を語る　現代の知性たちの視線」の一部を抜粋したものだ。20年夏刊行の『コロナ後の世界を語る』に続く新書第2弾となる。

「新たな全体主義に対抗するためには、精神のワクチンが必要だ」（マルクス・ガブリエル氏）、「対立より対話で、共通の価値観を見つけるべきだ」（オードリー・タン氏）、「複雑な問題には単純な解決策は存在しない」（パオロ・ジョルダーノ氏）……。賢人たちに共通するのは、コロナ禍を機に可視化された諸問題に正面から向き合うことを厭(いと)わない姿勢だ。彼らの思考と箴言(しんげん)が、混迷を極める時代の生き方を考えるヒントとなり、この災厄を希望に変える手がかりになることを願ってやまない。

2021年夏

朝日新聞東京本社オピニオン編集部次長　日浦統

私たちはどう生きるか　コロナ後の世界を語る2　目次

写真（とくに断りのないもの）／朝日新聞社

第1章

社会はどこへ向かうのか

インタビュー

マルクス・ガブリエル

Markus Gabriel

哲学者

失われる私的領域 新全体主義に「精神のワクチン」を

テクノロジーの発展は、私たちを「新しい全体主義」へと導くかもしれない——。デジタル化が全体主義に結びつくとはどういうことか。「明るい未来」のために何が必要なのか。

1980年生まれ。ボン大学教授。西洋哲学の伝統に根ざしつつ、「新しい実在論」を提唱して世界的に注目される。著書に『なぜ世界は存在しないのか』『新実存主義』『世界史の針が巻き戻るとき』など。

監視の主体は「政府ではない」

――新型コロナウイルスの感染拡大が起きる前、AI技術の発展が人間や社会を根本的に変えるのではないか、という議論が流行していました。

「私たちは最近まで、とんでもない間違いを信じていたことが明白になったと思います。具体的に言えば、テクノロジーの進歩そのものによって、世界がより良い場所に変わったり、私たちの社会が解放されたりしていく、といった考え方です」

「むしろ技術の発展が私たちにもたらしているのは、『新しい全体主義』とでも呼べる状況です。デジタル権威主義体制と言ってもよいでしょう。ただし国家が全体主義的になったという話ではありません」

――国家でなければ、何が全体主義化しているのでしょうか。デジタル化が全体主義に結びつくとはどういうことですか。

「私は全体主義の特徴の一つを、公的な領域と私的な領域の区別の喪失として考えています。20世紀の歴史を振り返れば、日本の過去もそうでしたが、全体主義化すると、国家が私的領域を破壊していった。私的領域とは、より分かりやすく言えば『個人の内心』ですね。国家は監視を通じてそれを探り、統制しようとしました。一方、現代は違います。監視・統制の主体は政府ではなく、グーグルやツイッターなどに代表されるテクノロジー企業です」

「私たちはいま、SNSなどで私的な情報を自らオンラインに載せ、テクノロジー企業がその情報に基づいて支配を進めています。しかも自発的に私たちは情報を提供しています。一方、国家はこうした企業に対して規制をしようとしても手をこまねいている。言い換えれば、テクノロジーの発展が、道徳的進歩と切り離されてしまったままなのです」

「民主的にも正統化（legitimate）されていない一部のテクノロジー企業が、社会・経済の大部分を左右する。しかも市民自らが自発的に従うことに慣れてしまっている。私が言う『全体主義』はこうした状況です」

ディストピア小説が現実に

――新型コロナウイルスの世界的な感染拡大とは、どう関係するのでしょうか？

「いくつか指摘しないといけないポイントがあります。まず未曽有のウイルス危機で、（感染が本格的に拡大する）半年前であれば市民から相当の反発を受けたであろう政策を、現実のものにしています」

「感染拡大を抑制するためのアプリの開発や導入がそうでしょう。これ自体の是非はひとまずおいておきます。これらにはテクノロジーが関わっている。私的な領域と公的な領域の区別をどう考えるかは、技術的には決定できません。しかもコロナ禍では、経済全体は収縮傾向にありますが、仕事やコミュニケーションのオンライン化が進むことでテクノロジー企業は収益を上げ、影響力を高めている。コロナ以前からの問題ではありますが、よりその状況が露見しています」

――感染抑制のためには、一定期間やむを得ない側面はありませんか？

思われていた以上に私たちは、移動の自由や内面に関わる自由を制約されることに対して、強い反発をもたなくなっているようにみえます」

「権威主義体制という言葉を使うと、ロシアのプーチン体制や中国の習近平体制をイメージする人は多いでしょう。確かに私自身、この二つの国のような権威主義体制も全体主義的だと考えています。すでによく指摘されていますが、中国は技術と資本主義の発展を組み合わせたデジタル監視体制をつくりあげている。20世紀に書かれたディストピア小説の代表作、ジョージ・オーウェルの『1984』の世界がそのまま実現しているかのようです。もちろん書かれた当時は旧ソ連のスターリン体制などが念頭に置かれていたわけですが、むしろ技術発展した21世紀の今こそ、あの世界が本格的に実現しつつある」

「つまり全体主義とは、国家だけで実現するわけではなく、技術発展がもたらす悪しき可能性もまた大きな役割を果たします。だからこそ技術は民主的に使われなければならない」

——しかし、現実はそうではない、と。

「現実は明らかに、反民主主義的な『武器』になっていると言わざるを得ません。私たちの日常生活の行動データの集積から行動パターンを予測し、それに基づき、私たちの衣食住に強い影響を与える。前回の米国の大統領選挙で明らかになったように、こうした技術の発展によって私たちが尊重すべき政治的な意思決定も左右され、地政学的なリスクが生み出されています。米国のテクノロジー企業がそれを望んでいたかはともかく、結果的にはこうした非民主的な力によってトランプ政権という政治的な悪夢が生まれた。アメリカ社会が尊んできた伝統的な価値への挑戦と攻撃なわけです」

——夢も希望もない話ですね。ただ技術発展がもたらした経済発展は、世界的にみれば、先進国のみならず、発展途上国の生活水準をも向上させてきた。技術的な発展がバラ色の未来をもたらすというのが誤りだとしても、社会を良くしていく可能性はありませんか。

「私は何も悲観的なことを言っているわけではありません。私たちは道徳的にもこの2

00年間発展してきました。確かに歴史的に大量虐殺や暴力の応酬もありましたが、乗り越えようとしてきた。技術そのものよりも、私たちはいま現代における道徳の意味を考えなければならない」

——道徳が技術発展の方向性を変えられますか？

「私は長期的にみれば、楽観的に考えています。今回のコロナで、医療物資などをめぐって国家間対立が起きました。しかし、新型コロナウイルスの問題が普遍的で国境を越えた問題であるという、いわば人類共通の課題だという意識は生まれています。実際の政策は各国政府において打ち出すしかないとしても、です。政治体制の違いにかかわらずそういう意識は生まれた」

「むしろこうした道徳的な意識を、新型コロナウイルス問題にとどまらず、大災害をもたらす気候変動など大きな問題に広げていかなければならないし、私たち次第でそれは可能なのです」

——あなたが問題視する新しい全体主義はこれからどうなりますか。

「いま求められているのは、コロナ以前に戻ることではありません。人類の未来に対するより高いレベルでの連帯と協力です。それはもちろん欧米だけで実現できることではありません。日本は歴史的にみれば、アジアで最初に近代化に成功しました。日本独自の方法で当時の国際秩序に参入し、非常に印象的な適応をした。ドイツと同様にその後の戦争で悲惨な結果になりましたが、終戦後さらなる発展を遂げた、独自性をもった社会です。私が望むのは、ヨーロッパと日本が協力して、持続可能で倫理的に考え抜かれた未来を切り開いていくことです」

「私が見るに日本社会は信じられないほど他者の心を読むのが上手で、しかもこうした傾向を独自のビジネスにして成功を遂げている。こうした他者への配慮や他人との強い精神的なつながりは、普遍主義的な道徳哲学と組み合わせることができると思います」

「こうした組み合わせのアイデアは、国境を越えていく普遍性を考える上では欠かせません。民主主義は普遍主義的な価値に基づきます。国民、階級、あるいは世代など様々な分断を乗り越える普遍的な『精神のワクチン』づくりには、何が必要なのかを議論しましょう」

（2020年9月2日配信、聞き手・高久潤）

Hiroki Azuma

東　浩紀

批評家・作家

「分からない」をベースにして連帯するしかない

生き延びること以外の価値はないのか――。危機に揺れる欧州で発せられた哲学者の問題提起が論議を呼んでいる。コロナ禍がもたらす苦悩に対して哲学は何を提示できるのか。

あずま・ひろき／1971年生まれ。株式会社ゲンロン創業者。著書に『動物化するポストモダン』『観光客の哲学』『ゲンロン戦記』など多数。2020年に映像配信プラットフォーム「シラス」を開発。

命とは、命を守ることとは、何か

——政府が緊急事態宣言を出したのは2020年4月7日でした。その前日に東さんはツイートをしましたね。コロナ自体はペストやエボラ出血熱ほど怖れるべきではないのだと注意喚起した上で、運よく犠牲にならずに済む人々には「社会を守っていく」という「責任」がある、との内容でした。

「社会的活動は自粛すべきだという空気だったので、批判も浴びました。もちろん、かりにウイルスで人口の1％が死ぬとしても大変な事態です。実際にはコロナではそこまで被害は拡大しないでしょう。けれど、たとえそのような極端な場合でも、残りの99％がその1％の死を無駄にしないよう自由で文化的な社会を次世代に受け継ぐことも大事なのでは、と思いました」

——コロナ危機の中で今回、イタリアの哲学者アガンベンは、生き延びること以外の価値を持たない社会になってしまっていいのかと問いかけています。欧州を中心に、反発を含めた大きな議論を呼びました。

「アガンベンの指摘は妥当だと思います。主張の眼目は『ウイルス危機を口実にして権力の行使が強化されていることを警戒すべきだ』というものでした」

――アガンベンは、人間の「生」と権力との関係を分析した著書『ホモ・サケル』で知られていますね。いま、人々の意識は生命へと向かわざるを得ない状況にあります。国民の生命を政府が守ろうとするのは当然ではないでしょうか。

「アガンベンは、人々の意識が『剝き出しの生』だけに向けられている状況を批判しました。僕の理解では、剝き出しの生とは『個体の生』のこと、自分一人の生命のことです。誰もが自らの『個体の生』に関心を集中させてしまった状態は、哲学で『生権力』と呼ばれる権力を招き入れます。生権力とは、人々の『生』に介入することで集団を効率的に管理・統治する権力のことです」

――人が自分の命だけを大事にすることを考えてはいけない理由とは何でしょう。

「人が互いに分断され、連帯できなくなるからです。みんなが『個体の生』しか考えず、生き延びることだけを考える世界とは、ホッブズが言った『万人の万人に対する闘争』的な世界です。コロナ禍で見られた『買い占めパニック』のような状態ですね」

「今回のような緊急事態が起きると、生権力が強く立ち上がり、こう呼びかけます。『お前たちにとって一番大事なのは個体の生き延びだろ?』と。しかし、それは幻想です。僕たちは実際には、ほかの人々とともに社会を作って生きているからです。人間は決して、個体の生のみを至上の価値として生きている存在ではありません。呼びかけに安易に耳を傾けてはいけないのです」

――命ではなく別の何かを大事にしろ、という話でしょうか。

「違います。命とはそもそも個体の生を超えているものだということです。一人ひとりはすぐに死んでしまう、はかない存在です。僕たちが生きているのは過去があったからだし、歴史の資産を未来に伝えていくことで流れができる。それが命と呼ばれてきたものではないでしょうか」

「子供を作って、その子が自分の死後も生き続けることだけではありません。本を書いてその本が自分の死後も存在し続けることを望むこともあるし、他人のために働くこともあるでしょう」

――「個体の生」と「個体の生を超える生」の二つの理解があるということですか。

「そうです。後者を大事に考えれば、社会を次世代に引き継ぐこともまた命を守ることだ、という考えに至るはずです。自由で文化的な社会を伝えていくこと。文化とはたとえば、愛する人の死を皆で集まって悼むことです」

「人々の国際的な交流がなくなる。次世代の教育ができなくなる。劇場がつぶれる。いままで大事にされてきた価値に対し、社会が以前より鈍感にさせられつつあるとしたら、人々の意識が『個体の生』に集中させられているからではないか。アガンベンのような哲学者は今、そう問いかけているのだと、僕は理解しています」

世界規模の「実験」で刷りこまれる価値観

――「権利制限を受け入れているのは一時的なことだ。生権力だなどと目くじらを立てるべきではない」との反論もありそうです。

「一時的ではないかもしれないと僕は受け止めています。アップルとグーグルという世界的なIT企業が、接触追跡用のスマートフォン向けアプリを共同開発しています。韓国やイタリアではGPSを使って感染者追跡ができる仕組みも導入されました。人権と自由を大事にする欧米型の社会では起きないとされていたはずの監視を、いざとなったら市民社会が望むということがわかった。無視できない変質が進んでいるのではないかと思います」

――ある行動が危険か危険でないか。最新の数値や確率をきちんと知ろうと互いに努めても、判断はそれぞれです。協力したい人との間で対立が生まれてしまう例もあります。

「各国で様々なコロナ対策が試されている状況とは、世界規模で『実験』が行われている状況とも言えます」

「統計や確率などの数字で権力が人々を管理する状況では、人間は誰もが一つのサンプルでしかない。個々人にとって一回しかない人生が、100人死ぬか1000人死ぬかという群れの問題として語られ、個人の内面に集団の価値観が刷りこまれていく。そうした数の暴力性を、生権力の研究は明らかにしてきました。現代は、ITを基盤にしたビッグデータがその生権力と結びつきつつあります」

——コロナ危機はオンラインによる社会活動が広がる契機になりましたが、この流れをどう評価していますか。

「人類がコロナと対するにあたって、社会的なコミュニケーションの価値、人と人が会うことの価値がきわめて低く見積もられてしまいました。原因の一つはオンラインがあったから、テレワークができたからだと思います」

「もしオンラインがなかったら、学校を閉鎖していいのかという議論はもっと真剣に行われたはずです。『感染対策も大事だが、子供や教師や親が集う場として学校ならではの存在意義がある』という意見が、より強く語られたでしょう」

——世の中ではむしろ、これを機に社会活動のオンライン化を大胆に進めるべきだという意見が出ています。

「オンライン化に肯定的な側面があることは事実です。ただ『家にいてもオンラインで仕事はできるはずだ』『隔離されてもユーチューブとSNSで楽しめるかも』という見方が台頭したことで、外出禁止や隔離といった本来なら簡単には実施できないはずの権利制限が受け入れられやすくなった面はあると思います。強力な権力行使だという印象が抱かれにくいのです」

「分からない」をベースに連帯するしかない

——自由で文化的な生活を手放さないために何を心がけておくべきだと考えますか。

「人間はリスクを引き受けることで社会を成り立たせてきたのだという事実を思い出すべきです。たとえば学校に行けばいじめられるかもしれないけれど、誰にも会わなければ友達もできない。人間は、価値とリスクのバランスを考えることで社会を作ってきました。不安に襲われるのは仕方がない状況ですが、そのために大事な価値を簡単に手放してしまっていないか、もっと点検すべきです」

――リスク社会論で知られる社会学者のウルリッヒ・ベックは、リスクが国境を越えて広がる事態は「国境を越えた連帯」が生まれるチャンスでもあると主張していました。実際どうでしょう。

「世界が一丸となってウイルスと戦っているイメージは、僕にはありません。見えているのは、ウイルスというリスクは国境を越えているけれども、それへの対応は逆に国境で分断されている、という事態ではないでしょうか」

――人も国家も孤立し、連帯が広がりにくい。そんな状況が続くしかないのでしょうか。

「『分からない』をベースに連帯するしかないのだと思います。いま気になるのは、人々があたかも『自分には分かっている』かのような前提で互いの言動を攻撃しあう現象です。それでは不安やいらだちが増幅されるばかりです」

「実際には世界中の人々がまだ実験のさなかで、ウイルス対策の正解は残念ながら誰も手にしていない。みんなが心のどこかでそう思っておくこと、一種の断念を共有することが、連帯への土台になるのではないでしょうか」

（2020年8月5日配信、聞き手・塩倉裕）

桐野夏生

Natsuo Kirino

小説家

正義と悪、右と左…人間は二元論では語れない

「事実」には普遍性がある。しかし、その重みと儚さを知ろうとする積極性に対してフェイクニュースが立ちはだかる。不寛容な時代、事実を慮り、他者を認める力を養うためには。

きりの・なつお／1951年生まれ。98年『OUT』で日本推理作家協会賞、99年『柔らかな頬』で直木賞、2008年『東京島』で谷崎潤一郎賞、11年『ナニカアル』で読売文学賞など受賞歴多数。近著に『路上のX』『インドラネット』など。

すべて「自己責任」という言葉に回収される

小説家になって、27年という月日が経った。小説家という仕事は、それこそ「生産性」という意味で言えば、無駄な存在だが、違和感を糧として仕事をしてきた自分たちには、また別の感受性を培ってきたという自負がある。

私には、「何か変じゃない？」という違和感がすべてだった。

その違和感こそが、新しい扉を開ける鍵で、別の世界を創り出すと信じて大切にしてきた。

しかし、今、その違和の質は大きく変容してきている。

『ＯＵＴ』という、主婦パートの物語を書いたのは１９９７年だ。

当時は、夫がホワイトカラーという家庭で、なぜ妻はパート労働というブルーカラーになるのか、という疑問があった。

パートは代替可能な単純労働で低賃金、景気調節の安全弁を担いもするから、労働者としては、まことに不利だ。つまり、家庭内の性別役割が税制にも反映され、そのまま主婦の労働形態になっていることへの違和であり、疑問だったのだ。

ところが、10年後には労働市場の規制緩和により、女性だけではなく、若い男性の非正規雇用も進むことになる。

『OUT』の取材当時、「娘のバイト代よりもパートの時給が安い」と嘆いていた弁当工場の主婦は、娘のバイト代も自分の時給並に安くなったことを嘆くだけでなく、娘世代や若い男性たちに、自分のパート勤務を奪われることも恐れなければならなくなった。

新自由主義経済のもと、事態はさらに悪くなったのだ。富める国はますます富み、貧しい国は富める国に搾取され続けて、貧しさから抜け出すことができなくなる。となれば、国家は富を維持しようと、コスパのよい労働力への管理を強め始める。

日本において、特に犠牲になったのは若い女性たちだった。

若い女性労働者の約5割が非正規雇用で低賃金。貧困層を形成しているにも拘わらず、次世代の労働力を産め、と強制されもする。

医大の入試も、女性というだけで不利になる。まったくもって、ナメられたものである。

コロナ禍の現在、若い女性の自殺率が上昇していると聞く。カフェで、ふと耳にした若い女性の「どうして12時間も働かなきゃならないんだろう」というつぶやきが蘇（よみがえ）って、胸が痛む。

しかも、企業に都合のよい規制緩和が進むと同時に、管理に都合のよい概念もちゃっかり生まれるのだから、始末に悪い。

ご存じ、「自己責任」である。違和も疑問も、すべて自己責任という言葉に回収されてしまい、表には出にくくなる。同情とか共感というエモーショナルな言葉は消え、代わりに「共有」という曖昧（あいまい）な語がのさばり始めた。

正義でねじ伏せる傲慢

文学や映像もまた、グローバリズムのくびきから逃れることはできない。

かつて文学は、その国家、その民族の、固有の悩みや苦しみを描き、その深い井戸を掘ることで、互いに共通する普遍性を確保することができた。だが、それは牧歌的と言えるほど、幸せな時代だったようだ。

今や文学ですらも、世界で通用するためには、市場原理主義の洗礼を受ける。人種差別、民族差別、性差別、児童虐待、あらゆる種類のクレームを避けるための検閲が働き、表現は刈りこまれて、滑らかになった美しいものが供される。しかし、棘(とげ)を内包しないつるつるの顔をした文学は、人の胸を打つことができるのだろうか。

そして、つるつるの美しい顔は、同じ表情、同じ声で、あらゆる場所で「正義」を語り始める。

「正義」は、あらゆる人間をねじ伏せることのできる、便利な言葉だからだ。

ふと思い出したのは、東日本大震災の翌年に開催された、イタリア映画祭での光景である。

私が見た作品は、『七つの慈しみ』という、東欧の貧しい国から、違法でイタリアに入国した若い女性移民の物語だった。

彼女は病院で介護の仕事を手伝っているが、孤独で貧しく、どこにも行き場がない。身分証明書欲しさに、死体置き場に忍び込んで死者から盗もうとしたり、赤ん坊を誘拐しようとしたりする。まだ若い彼女の、目の下に出来ている隈（くま）がすべてを表しているような、何ともやるせない作品だった。

終映後、映画監督が舞台に登場して、質疑応答の時間となった。すると真っ先に、一人の青年が客席から立ち上がった。彼は「自分も映画の仕事をしている」と自己紹介した後、「罪を犯した女性を、なぜ主人公にしたのか？」というようなことを問うた。聞かれた映画監督は絶句し、「彼女は追い詰められて、それしか方法がなかった」というような答えをしたと記憶している。

私は、その質問に、それまで感じたことのないような違和感を覚えた。まさしく、これまでの違和とは質が変わった、と実感した瞬間だった。

ジャン・バルジャンの昔から、罪と罰は、個人と社会との大問題だったはずだ。質問者は、罪を犯さざるを得ないほど追い詰められる、という状況に想像が及ばないのか、と驚いたのである。

正しき者、正しき行いを描く作品には、確かにカタルシスがある。だが、人間の行いは正しいことばかりとは限らない。人間は愚かで、間違いを犯す。

罪を犯した人間は主人公の価値がない、という発想は、虚構における優生思想ではないか。

質問者の言わんとする「正義」は、想像力の及ばないところ、いや、無縁のところに堂々と鎮座して、周囲を睥睨(へいげい)している。まるで、自分が一番偉いかのように。

人間は単純ではない

のちに、似たような質問を、私も受けたことがあった。

『夜の谷を行く』という連合赤軍事件に関わった女性のその後を描いた作品についての、雑誌取材での出来事である。

インタビューに来た若い女性が、「なぜ、彼らは罪を犯したんですか？　何で法律を犯した人を書くのかわからない」と言う。

その答えは、私にもわからない。わからないことだらけで、闇の中を進むのも、また小説を書くことなのである。そして、小説は正解を出すものでもない。その小説世界に生きる人間を描くことしか、できないのである。

おそらく、この女性のような若い世代には、「思想」という概念すら消えてなくなっているのだろう、と思うしかなかった。イデオロギーが古びて消えてなくなっても仕方ないが、理念までが消えてしまうとしたら、人間には何が残るのか、逆に知りたいと思った。理念に突き動かされて、失敗や罪を犯すのも、人間の姿なのだから。

正義と悪、右と左。二元論で語られるほど、人間は単純ではない。むしろビトウィーンな存在なのに、他人の曖昧は許すことができないらしい。その不寛容は、いったいどこからくるのだろうか。

最近、連合赤軍事件の永田洋子(ひろこ)の弁護をした、女性弁護士さんの講演を聞く機会があった。その女性弁護士さんは、おととし虐待されて亡くなった結愛(ゆあ)ちゃんの母親の弁護も引き受けておられる。

結愛ちゃんの母親は、毎日、夫に正座させられて、何時間も執拗(しつよう)な説教を受けていた。叱責(しっせき)され、反省文を書かされる日々が続くと、自信をなくして混乱し、どうしたら叱責されずに済むかしか考えられず、自分がおかれた状況すらもわからなくなったという。

「50年ほど前に、若い人たちが、同じように仲間を苦しめ、死に至らしめたことがありました」

弁護士さんの言葉は、私の心に沁(し)みた。それはもちろん、連合赤軍事件のことである。連綿と続く、人間の愚かさ。そして、罪。

そこには、「犯罪」という言葉だけでは、持つことのできない事実の重みがあり、手ですくおうとしても、掌(てのひら)からこぼれ落ちてしまう、水のように形を留めない事実の儚さがある。

その重さや儚さを積極的に知ろうとしないと、人々は何度も同じことを繰り返すのかもしれない。だから、事実には普遍性があると、私は信じているのだ。事実を単なる「犯罪」という言葉で片付けて、慮ろうともしない人々は、傲慢で不寛容だ。

小説は、自分だけの想像力を育てる

しかしながら、現実は、またもつるりと身をかわしてみせる。フェイクニュースの存在である。

事実の重みと儚さを積極的に知ろうとする、と書いたが、その事実が今や揺らぎを見せている。

フェイクニュースは、あらゆるところに真実のような顔をしてのさばり、容易に人を信じ込ませる。

ネットでひとつ読めば、アルゴリズムで同じような記事が供与されるから、さらに信じ込むようになる。かくして、彼らの信じる「事実」を楯にして、頑迷で差別的な人々が生まれてくる。

この果てしない追いかけっこが、世紀末的な絶望をもたらして、暗い気持ちにさせる。しかし、絶望していても、仕方がない。私は小説書きなのだから、小説の話に戻ろう。

たったひとつ、彼らの振りかざす「正義」と戦う方法がある。小説を読むことだ。

小説は、自分だけの想像力を育てる。言葉は目に見えないものだから、読者一人一人が想像することでしか、その小説世界を堪能することはできない。従って、個々人が頭の中で結ぶ像は、それぞれ違っているはずである。そこが、ひとつのイメージを付与するビジュアル作品と違うところだ。

他者と違うことが他者を認める礎(いしずえ)となり、他者が取り巻かれている事実を慮る力を養うのである。それが想像力という力だ。

不寛容の時代、自由な小説から力を得てほしい、と心から願うものである。

（2020年12月15日配信）

インタビュー

多和田葉子

Yoko Tawada

小説家・詩人

危機にうつむいて耐える日本を言葉で揺さぶりたい

コロナ危機に際して、芸術支援を含めた政策を繰り出すドイツ政府と、なにかとちぐはぐな日本政府をどうみるか。社会や文化への影響は、二つの国でどう違うのか。

たわだ・ようこ／1960年生まれ。82年よりドイツに在住し、日本語とドイツ語で作品を手がける。2016年にドイツのクライスト賞を日本人で初めて受賞。著書に『星に仄めかされて』など多数。

法より「人の目」が機能する日本

――ドイツ政府はコロナ危機への対策や支援を早く打ち出しました。

「老人を支援し、医療を拡充し、零細企業、個人経営店、芸術家などを助けると表明、すぐに支援金も出ました。そこまではすごい。しかし、後で審査があって、必要なかった人は返金しないといけない、しかも返せなかったら罰せられる場合もあるそうです。大企業は法律対策をしていて大丈夫でしょうが、たとえば芸術が本当に守られたのかはまだ分かりません」

――不満も出てきていますか。

「国内旅行は普通になっていますが、マスクの義務化に抵抗感を持つ人は多いです。罰金があるので無理してマスクをつけていますが。危険な圧力だという人もいますし、人権侵害だという人もいます。リベラルや左翼系はマスクを支持していますが、右翼系がマスクは国家権力による弾圧だと反発しています。隠れた不満が出てきて、社会のバランスが崩れる危機を感じてもいます」

――ドイツからは日本はどう見えますか。

「日本は本当に不思議な国です。政府はなぜか何も対策を取っていないみたいで、逆に国民は社会全体のことを心配して自分でできることを進んでしている」

「ドイツは個人の自由を大切にするので、自由を制限する時は法的に縛ります。地下鉄内でマスクをしていなければ罰金を払わなければいけない、などというのもそれですね。日本は法よりも『人の目』という見張りがあり、それが危険な面もあるし、機能しているという面もある。日本人が個人主義になったら、全く別の政治機構が必要になるでしょう。ドイツのように素早く議論して規則を決めるという仕組みは長い歴史と背景があってできることで、日本はすぐにはそうならないと思います」

――議論を経ないで感情や空気を優先するというのも、日本の特徴なのかもしれません。

「福島第一原子力発電所の事故から約3カ月で、ドイツは脱原発を閣議決定しました。

選挙を通して国民の意思がすぐに政治に反映されたという印象があり、民主主義が機能しているという実感が持てました。ただ実際は、まだ動いている原発もありますし、これからどうなるかは分かりません。日本ではさすがに国民の意見を無視できず、一時期すべての原発を停止していましたね。ただ再稼働も始まりましたし、国民感情だけでは未来は保証できません」

「日本の不思議は、ダメ政府と良心的な市民かもしれません。一人一人がこのままではこの国はだめだと反省し、せめて自分でできることをする。『ダメだ』という自覚は大事だと思います」

「日本で一つ心配なのは、第2次世界大戦への反省が弱いことでしょうか。かつての東西冷戦の戦場が朝鮮半島やベトナムなどアジアにあったように、今後、中国と米国の冷戦の場が日本や近隣国になる可能性も考えられます。おそらくですが、日本では新型コロナウイルスより、国際関係の方が危機なのではないでしょうか。さらにいうと、ウイルスそのものではなく、社会が揺るがされた時に出てくる弱点のほうが心配です」

――小説で危機に直面する世界や人を描いてこられました。コロナ禍における社会の弱点や危機をどう見ますか。

「日常生活の中でみえてくる危機は、人間の変容だと思います。オンラインでのやりとりやテレワークなどが進み、集って直接しゃべることがなくなり、人間が変わってしまうのではないかと心配しています。生身の人間と接触すると感染の危険がある、という意識がすり込まれてしまったら、引きこもったほうが安全、という社会的傾向が今以上に強まってしまうかもしれません」

「学校や大学も心配です。家でできる勉強もありますが、文化という遺産は人との関係の中でしか学べない気がします。この状態が数カ月続くのは仕方ないとしても、いつ終わるかわからないのがつらい。2年、3年と中途半端な状態が続いたら、人間が壊れていく部分があると思うのです」

危機で強まる、社会の変化

――ウイルスに対抗するには、都会に人が集中するのではなく、ドイツのような地方分散型の社会がいいという人もいます。

「コロナ危機によって、最初はメルケル首相のもと国内が一致団結しました。それはドイツでは経験したことがなかったので驚きました。その後、最大の危機が過ぎたらメルケル氏はバックに下がり、各自治体が状況を見て対応していく。分散と統合のバランスは良いと思います。ただ、欧州連合（EU）の中での分散と統合の動きがこれに加わり、かなり動的です。このように速いテンポであらゆる部分が連動するような世の中の動き方は、日本は苦手かもしれませんね」

「今回、自分の反応が日本人っぽいかもしれないと思うこともありました。何か危機が始まると、無口になって自分の中にこもりがちになるのです。おかげでいつもは読んでいられない厚い本などいろいろ読めましたが、そうやって危機が終わるのを受け身で待っている。そのわりにウイルスそのものへの恐怖感は薄く、自分が感染するという実感がもてない。ドイツ人は危機が始まると討論欲がますます強まるみたいです」

――ドイツに住んで38年になり、世界文学の担い手でもある多和田さんが、コロナ危機下で日本人であることを意識したと?

「日本人であるというより、日本で育ったせいで日本の歴史や社会に思ったよりずっと深い影響を受けている自分に気づきました。ドイツに長く暮らしているからこそ感じたことだと言えるかもしれません」

「ふだんは私的生活の枠内で暮らしていて、自分の感覚もその中にありますが、社会に軋轢(あつれき)が生じたときや社会全体が大きく揺れたときは、自分という単位では足りなくなるようです。政治や社会を語る気がなくても、社会の一部としての自分を感じ、個人的立場からだけでは自分について語ることができなくなるのです。東日本大震災の時には今以上にそれを感じました」

――危機の感じ方や感じたときの行動が、日本と欧州では違うということでしょうか。

「日本では、危機があっても危機ととらえないようなところがあるのではないでしょうか。日本は自然災害が多いし、飢饉(ききん)や貧困も遠い過去の話という感じはしないですよね。

危機があっても騒ぎ立てず、うつむいて耐えるようなところがあります。ドイツやまわりの国を見ていると、それが現実かどうかは別にしても、衣食住に困らない社会をかなり前に実現し、自然災害がほとんどなくなるところまで自然を征服した、という自覚を持って生活しているような印象を受けます。新しい問題が起こってもそれを人間の手で解決できるという自信があるのか、コロナ禍も大きな危機としてとらえ、いい方策を考え出して乗り越えるんだ！　征服するんだ！　という能動的な態度で接しているようです」

「日本は、じっとうつむいて待っていればコロナは自然と去っていく、と思っている人も多いのではないですか。ただ、うつむいてしまうと、世界の状況が見えなくなってしまいます。うつむいている人たちを揺り起こしたい、危機なんだと揺さぶりたい、大きな風景を見せたい。そんな気分です。だから危機を感じさせる言葉、呼び起こす言葉が自然とわたしの小説の中に入ってくるんだと思います」

（2020年9月3日配信、聞き手・吉村千彰）

インタビュー

金原ひとみ

Hitomi Kanehara

小説家

人と関わることはどういうことなのか？今考えるべき問い

コロナ下でも、恋人同士は「聖域」だと思っていたのに――。作家を執筆に向かわせたのは、人を狂わせるような社会の「正しさ」や閉塞感(へいそく)だったと言う。思いを聞いた。

かねはら・ひとみ／1983年生まれ。2003年『蛇にピアス』ですばる文学賞を受賞。翌年に同作で芥川賞、20年『アタラクシア』で渡辺淳一文学賞を受賞。近著にコロナ禍での恋愛を描いた『アンソーシャル ディスタンス』。

「聖域」は家族だけ?

恋愛はコロナ禍の中での「聖域」であるはず。私は、そう思っていました。さまざまなことがオンラインに切り替わり、「人に会うな」「マスクをつけろ」「会食するな」と言われるなかでも、恋愛相手となら、直接触れあうことが許されるはずだと。

でも実際には、家族だけが「聖域」と考える人が多かった。2020年5月に発表した小説「アンソーシャル ディスタンス」には、恋人と出かける息子を「不要不急の意味分かってる?」と批判する母親が出てきます。「家族とは密に接してもいいけど、それ以外はだめ」という規範です。カップルと、大人になった息子と母、どちらの方が互いにとって近しい存在なのか。人によってこの解釈には大きな差が出ることを、私も痛感しています。

コロナ禍の中での恋人たちの物語を、二つ発表しました。人間の何かが変わったわけではないのに、突然激突してきた新型コロナによって、家族や恋人との関係性が変わってしまうことがある。その現実に直面したからです。

緊急事態宣言下の5月に出した最初の作品には「コロナなんて自分たちには関係ない」という若いカップルが出てきます。コロナで騒いでいる社会にいる自分たちは、ゾンビの世界に迷い込んだようなもの。感染する不安よりも、好きなライブが中止になった絶望感で「死にたい」という気持ちにさえなる。ある種の人々にとっては、生きていくために「生きていく」以外の何かが必要なんです。

セックスはオンラインではできません。人との接触が「悪」とされる中で、彼らはセックスをし続けます。オンラインで代替することが新しい社会のあり方だという空気のなかで、私はセックスに引きずられる人たちのことを、いまこそ書きたい、と感じました。芸術や映画、ライブ。生きるためにはそれがどうしても必要だ、という人もいれば、不要不急と思う人もいる。大切にしてきたことが禁止された人たちの苦しみは、計り知れません。

私自身の中にあった、閉塞感への反発が、この小説に向かわせたところもあります。

社会全体がコロナをおそれ、正しさの圧力が強まるなかで、「みんなが苦しい思いをしないといけない」という社会への憤りを、まだ失うもののない若者の視点で描きたかった。同じような閉塞感は、福島第一原発事故の時にも感じました。

新しい思考回路が生まれた

人を狂わせるような熱量で襲いかかってくる「正しさ」のなかで、恋人との関係が変わる人もいます。12月に出した小説では、コロナへの不安が大きすぎて恋人と会えなくなった女性を描きました。5月の「コロナなんて関係ない」という主人公とは正反対です。恋人が外に飲みに行くのがムリ、自分に触れる前にお風呂に入ってくれないとムリ。いろいろなムリのなかで恋人と会えなくなった時、彼女は恋人と自分を映したセックス動画を見ることに夢中になります。動画が生きる支えになっていく。久しぶりに会えた時さえ、動画を撮ろうと必死になる。彼女にとって、彼氏は慈しむような存在ではなく、「自分を支えるためのもの」でしかなかったことが露呈しました。

そして、好きなはずの相手と本当の意味では関わっていなかった、と気付きます。そもそも、人と関わるということはどういうことなのか、コロナ禍にこそ考えるべき問いなのではないかと思います。

密に会えなくなった恋人や家族に対して、似たような感覚を抱いた人は、少なからずいたのではないでしょうか。悪い面ばかりではない、と私は思っています。「会えなければ意味がない」というのであれば、会うことで自分は何を得ていたのだろうか。そんなふだんは気付かないことを考える新しい思考回路が生まれたと思います。

より親密になった人もいれば、別れた人もいる。コロナは「この恋愛は本当に大切なものなのか」を問うリトマス試験紙のような役割も果たしているように思います。

(2020年12月30日配信、聞き手・田中聡子)

宇佐見りん

小説家

隔たりか繋(つな)がりか
人との距離を
選べなくなった今——

感染防止のため、「ディスタンス」が求められる今、人との関係性に変化が生じている。「自分がにおうのでは」と不安にかられていた作家は、この遠い世界をどうとらえたのか。

うさみ・りん／1999年生まれ。デビュー作『かか』で2019年に文藝賞を受賞。20年には三島由紀夫賞を最年少で受賞。2作目の『推し、燃ゆ』で芥川賞を受賞。現在、大学生。

「自分がにおう」という不安

駅前のカラオケ屋が閉業した。ネオンが消え、裏通りに面して打ち付けられていた看板が撤去されている。言うまでもなく、コロナ禍の影響だ。看板がなくなってしまうと、外観は単なる小さなマンションである。看板に覆われていた部分が、風雨に晒(さら)されずにいたために生白い。

個人経営のお店で、高校生の頃、よくここのソファに横になって眠った。試験勉強をして、小説を書いた。当時所属していた合唱部の歌を練習することもあった。

合唱部に入っていたとはいえ、歌は全くうまくない。歌うことが好きでたまらなかったかと言われれば、そうではないかもしれない。練習に出ない日も多く、部員にも顧問の先生にも数えきれないほど迷惑をかけた。けれども、響きのなかに立ち、歌の世界を感じる時間は本当に幸福だった。好きな曲は演奏会が終わっても聴き続けた。小説を書くときのお供にしている音源も多い。カラオケ屋で曲を入れることはなく、そういう、部活で出会った好きな曲を、伴奏もないまま歌った。周囲の眼は一切気にならない、自分がいることで誰にも迷惑のかからない、希少な場所だった。

人と関わりたくなかったと言ってしまうと、なんだか人嫌いのように聞こえるが、そうではない。人を苦手になるよりさきに、自分をよく思っていなかったので、一人でいなくてはならない、人に近づいてはいけないと感じることが多かった。

そう考えるようになった理由のひとつに「におい」があった。「自分が異臭を発しているのではないか」という不安。一時期、この不安が頭から離れなくなったことがある。ふとした瞬間に、自分がにおうのだ。入浴直後であっても、頭皮を触ると指がにおう。歯を磨いても、ものを食べるとすぐ口臭がしているのではないかと気になり、食事中水を何度も口に含み、ひそかにゆすぐ。その時期は、自分が汚物であるとの認識がかなり強くあった。それが、自分への人格否定や容姿コンプレックスとあいまった精神的なものであったのか、部屋が荒れ放題で食生活も偏っていたために、実際にひどい体臭を放っていたのか、定かでない。鼻はかなり利くが、自分の体臭は自分では気づけないというし、友人に「私、くさいかな」と聞くわけにもいかないので、不安は増すばかりだった。人と話していても「臭いと思われているかもしれない」「いまは普通に話してくれているけれど、不快にさせて、我慢させているのかもしれない」との考えがよぎってしまう。教室で一人になる瞬間があると「においのせいでは」と思う。話すのも気が重く、人と距離をとらないと安心できなかった。

この「自分がにおうのではないか」という不安は、この原稿を書き始めるまで誰にも打ち明けたことはなかった。それくらい、においや清潔感にまつわる問題は繊細なものだ。いじめで「菌」「くさい」「きもい」といった言葉がたびたび用いられるのも、そのせいだろう。これらの言葉の非常に悪質なところは、相手を貶める(おとし)にとどまらず、「お前は他者を不快にさせる存在だ」と相手に刷り込むところだ。呼吸を阻むものから、人は距離をとる。攻撃するのでなければ、それ自体は当然の権利としてある。誰もがそれをわかっているからこそ、自分自身が「臭い」「きたない」と理不尽に思わされてしまうと、人と離れている状態を常に受け入れるほかなくなってしまう。文字通り、居場所をなくしてしまうのである。

相手に嗅ぎ取られない「遠隔」

現在、人と物理的に距離をとることが求められる。ソーシャルディスタンスとは、新型コロナウイルスの感染拡大防止のために叫ばれるようになった、人と人との距離を確保しようとする動きのことだ。しかし、単に人と遠ざかるのではなく、接触なしに距離を近づけるのが、ソーシャルディスタンスの時代の特徴である。

感染拡大に伴い、現実での接触を避けるために推奨されるようになったのが、遠隔でのやりとりだ。ビデオ通話を用いて、会議や授業を行う。2019年に小説家としてデビューしてから、大学の授業を受けつつ小説を書く生活をしているが、今年度に入ってからは授業も取材も遠隔で行われることが増えた。SNSやZoomといった直接的でないやりとりの特徴は、接触を伴わず人と近づけることだ。万が一自分が感染者でも、相手にうつす心配はない。その場にいた誰かからうつされる心配もない。

現実的な接触がないということは、「におい」が漏れ出ないということだ。この場合の「におい」は、自分の弱点、相手に働きかけたくない点、と言い換えてもいい。遠隔でのやりとりは、それを相手に嗅ぎ取られる心配なく関わることを可能にする。

私自身、遠隔でのやりとりに助けられている面もある。多くの人と直接顔を合わせる機会が減り、毎朝満員電車で自分の弱点を晒し続けることから逃れられる。現在、大学生以外は多くの生徒が通学しているようだが、小学生から高校生の遠隔授業は悪いことばかりではないように思う。遠隔での授業は、教室での忍び笑いや目配せを不可能にする。通学できない生徒に、欠席以外の選択肢を与えることができる。現在は、遠隔での教育体制が追い付いていないのもあって難しいかもしれないが、そういった選択肢が増えることで今よりもう少し息がしやすくなる子もいるはずだ。

当然、この遠隔での関わり合いでは抜け落ちてしまうものもあるだろう。「におい」をはじめとした、自分でコントロールできない情報は、遠隔では共有されづらい。良くも悪くも、見たくないものは見ることなく、見せたくないものは引っ込めたままになる。

物事に対するとっさの反応、醸し出す雰囲気、相槌などは、言葉よりもずっと正確にその人を映し出すこともあるが、遠隔ではそれらがなかなか見えてこない。

選択肢が失われつつある

現実世界で接触することと、一緒にいることは、人の体臭を嗅ぎ続けることだ。不満や諍いが生まれることもある。たとえば、妻が夫に向かって、「あんた、靴、くさいわよ」と鼻をつまみ、からかってみせる。「おれは働いて帰ってきてるんだぞ。一発目に言うことがそれか」と夫が腹を立てる。そのまま喧嘩に発展、なんていう光景はさして珍しくもないだろう。コロナ禍は、人と人との距離を分断した一方で、同じ家に住む者同士の距離を強制的に縮めることとなった。四六時中、狭い場所で一緒に過ごすことで、心を蝕まれる人も多い。けれど「におい」を嗅ぎ続け、互いにそれを受け入れあうことの安心感というのもまた存在するはずである。「におい」を含んだ繋がりの強さ、確かさは、やはりある。

「におい」のある現実で人と接触すること、誰からも距離をとること、「におい」のない世界で誰かと関わりを持つこと。私はどれも良い悪いと切り分けることはできない。本来ならば、その人が自分で選んでいけばいいだけのことだ。しかし、その選択ができなくなってしまった。これまでは、一人になりたかったら、高校生の頃の私のようにカラオケ屋に駆け込めばよかった。一人だけで電車に乗り、旅に出ることもできた。逆に人恋しいと思えば、誰かと会うこともできた。いま、選択肢が失われつつある。だからこそ昨今の状況は苦しいのだと思う。

一切の隔たり忘れた『暁』の合唱

先日、母校の合唱部の後輩から文化祭の案内が届いた。中学一年生だった彼女が、いま部長として活動していること、情勢によりオンラインでの文化祭公演になったことなどが書かれている。リンクをひらき、まず目に入ったのは標語であろう『暁』の一字。それまで、文化祭の標語を気に掛けたことは一度もなかった。しかしこの『暁』という字を目にしたとき、ここに込められた意味に思い至り、ちょっと呆然としてしまった。コロナ禍を夜に喩えているのだろう、じっと夜明けを待つ人の様子が浮かんだ。

合唱部の発表は、マスクをつけ、距離を十分とっての録音であったらしい。録音か、そうだよな、と思いながら再生してみて驚いた。合唱部に所属していた頃から、リハーサルや本番を録音したものは何度も聴いてきたが、それらとは明らかに違っている。今までの録音は、いわば会場のお客さんに向けた演奏であって、後から録音を聴く人に向けて演奏したものではなかった。けれどこれは、オンラインで再生するお客さんに向けた演奏である。音楽には、どこに届けるかの意識が如実に現れる。だから、これは「本番の録音」ではなく、「本番そのもの」だった。聴いているその瞬間に立ち上がってくる歌だった。会場の魔力でごまかすことのできない、粗の目立ちやすい方法での発表にもかかわらず、高い質を保ちまっすぐ歌い上げている。生の演奏ではないのに、音楽が狭まるどころか、凄まじいものに化けて広がる瞬間がいくつもある。収録されてからの時間の隔たり、場所の隔たりを一切忘れて聴いた。

演奏が終わり、もう一度スローガンの『暁』の字を見た。曙(あけぼの)が空の明るんできた時間帯を指すのに対し、暁は、空が明るくなる前の時間帯を指す。つまりこの段階では、夜は明けていない。まだ暗いのだ。古典の先生が口を酸っぱくして言っていた様子を、教室の光景を、懐かしく思い返した。結びついた記憶が、ばらばらと出てきた。私はベッドの上で一人だった。何かに現実的に触れているわけでもないのに、それらとの距離がぐっと近づいたみたいだった。色々な人や、場所や、時間を思った。

（2021年1月9日配信）

Yasuo Deguchi

出口康夫

哲学者

「できなさ」が基軸の社会へ価値観の転換を

緊急事態宣言が出された2020年4月初めから、京都大学が対談やオンライン講義をネットで公開している。コロナ禍が迫っている価値観のパラダイムシフトとは。

でぐち・やすお／1962年生まれ。京都大学大学院文学研究科教授。専門は数理哲学・分析アジア哲学。京都大学オンライン講座「立ち止まって、考える―パンデミック状況下での人文社会科学からの発信」を主導してきた。

「立ち止まって、考える」

――4月に4人の研究者との対談、夏には10人の研究者によるリアルタイム講義をネットで配信したそうですね。

「コロナ禍のもとで命を守り、経済を回すという医学や経済学の目標や方向性は明確です。一方、世界中が右往左往する中、自分たちの生き方や社会のあり方はこのままでいいのか、変わるとすればどう変わるべきかといった、漠然とした、でも、より深い問題意識も広く共有されました。今こそ価値の学問である人文学が、価値の座標軸を考える手立てを社会に提供しなければと考えました」

「倫理学の講義では人工呼吸器の配分や自粛か強制かといった問題を取り上げ、文化心理学の講義ではコロナ禍が幸福観や人生観にどんな変化を与えるかが語られました。私は、自己とは何かについて考えを述べ、コロナ後の社会にも触れました」

――手応えはどうでしたか。

「全体で約30万回のアクセスがありました。男女ほぼ半々で、20～40代の現役・子育て世代が6割を超えています。従来の公開講座の聴衆は定年後の男性が中心でした。今まで届かなかった人たちにも届いたようです」

――新型コロナのパンデミックは何を浮き彫りにしましたか。

「一番重要なのは、自分や家族の健康ですら自分たちだけでは守りきれず、周りの人々、外の世界と切れ目なくつながっていることが誰の目にも明らかになったことです。自分の体の奥で起きることも、トランプ米大統領のふるまいと結びついている。グローバル化が身体の深部にまで刺さっているという実感をもたらしました」

――歴史上の衝撃的な出来事の中でも、コロナ禍は特別ですか。

「そう思います。ほとんど瞬時に広がったパンデミックです。世界大戦ですら中立国やアフリカの奥地など実質的には無関係なところがありました。大災害でも被災地という言葉が示すように限定されていました。今回は逃げ場がない、真のグローバル災害です」

「このまま明確な勝ち負けがないまま、ずるずるとニューノーマルになだれ込むかも知れません。その場合、社会にフラストレーションがたまり、弱者に八つ当たりする風潮が増幅されかねません」

——どうしましょう。

「いずれにしても社会は変わらざるを得ません。例えば遠隔化。ある程度社会が回るとわかった以上、もはや元には戻れません」

「とはいえ効率一辺倒でいいとは誰も思っていない。そうなると次はどんな社会をつくる『べきか』の問題です。座標軸を『立ち止まって、考える』ときだと思うのです」

誰もが「できなさ」を抱える

——基本的な人間観を転換すべきだと主張されていますね。

「近代社会は、人間を『できること』の束ととらえ、『できること』に人間の尊厳を見いだし、自分のことを自分で決めることが『できる』という自己決定性を倫理や法の根本に置きました。しかし近代社会のいろいろな限界やあつれきが表面化した結果、哲学でも人間の弱さやもろさに注目する動きが出ています」

「『できること』を人間の本質とすると、例えば障害者は本質の一部を欠いた存在となってしまいます。結果として、障害者と健常者との間に暗黙の上下関係が生じたり、極端な場合、障害者の存在意義すら否定する考えが出てくる一因にもなりえます」

「一方、人間の『できること』は様々な機械で凌駕（りょうが）されてきました。タマネギの皮をむくように次々に置き換えても知性という芯は大丈夫だと思っていたら、人工知能（ＡＩ）が登場しました。単なる思考実験に終るかも知れませんが、ＡＩが人間の知性を超えるシンギュラリティーが起きると全て置き換え可能になります。人間のかけがえなさ、尊厳さえ見失われる『人間失業』が起きてしまいます」

――では、どんな人間観を？

「百八十度転換し、人間は『できない』ものと考えるところから出発しようと私は主張しています。人間は自分一人では指一本動かせません」

――どういうことでしょう？

「3日間、体がマヒしていた人が突然指を動かせるようになったとしましょう。医学的に説明がついても、ずっと動かそうとしていた本人にとっては何も変わっていない。逆に言うと、私たちが意のままになると思っている身体が、次の瞬間には動かなくなるかも知れない。社会のインフラも同じで、私たちは様々なものに自分たちを委ね、支えられている存在なのです。コロナ禍はそのことを実感させました」

――人間の弱さに着目した福祉の取り組みなど補完的な動きはありましたが。

「誰もが根源的な『できなさ』を抱えていて、支えられなければ一日たりとも生きていけない存在です。そこに、人間のかけがえのなさを見いだすべきなのです」

「基軸と補完の関係を交代させるべきです。人の能力を伸ばしたり活用したりすることも重要ですが、それはあくまで『できなさ』を基軸にした社会を補完する役割に回すべきです。主客交代です」

――「できない」ことの多い子どもや高齢者、障害者に優しい社会になるといいですね。

「根源的な『できなさ』は誰もが持っています。それをより多く持っている彼らは人間の『できなさ』を明らかにしてくれている存在と言えます。人間は何事も一人ではできないという考えに立てば、例えば犯罪者だけではなく、その背後にある社会システムも責任の一端を負うことになります。道徳的、法的な責任の考え方も大きく変わるはずです。一朝一夕には実現しないし、日本だけ変えてもしょうがない。それでも誰かが言い出してグローバルなルールを変えていかなければなりません」

「人間は集団で群れて生きてきました。3密回避で物足りなさを感じるのは、3密的な濃厚接触で互いの体温を感じることで根源的な『できなさ』を認め合ってきたからではないでしょうか。社会の遠隔化の中でも、こうした体験を得る機会を保つ必要があります」

価値観の転換を

——とはいえ、「できること」の価値観は深く浸透しています。

『できること』÷コストが効率です。人間のかけがえのなさを『できること』に求め、効率のみを追求してきた結果、富める人や地域はますます富み、貧富の格差が広がりました。こうしたコロナ前からの状況が、今回、地震後の断層のようにあらわになりました。どれだけ時間がかかっても価値観の転換を進めるべきです」

――ただ、「立ち止まって、考える」ような余裕はないと思う人も多いと思うのですが。

「強い痛みに襲われている最中は、耐え忍ぶだけで何も考えられないでしょう。でも、痛みがやわらいだ後、ふとしたときに考えこんでしまうこともあるのではないでしょうか。そんなときに考える手立てを提供できたら、と思うのです」

――政府は大学にすぐに役立つことを求める傾向を強め、5年前には文部科学省が「文系廃止論」とも取られる通知を出しました。

「文科省通知には反対が相次ぎ、事実上撤回されました。その後、京都大学が指定国立大学法人になり、日本の人文・社会科学をリードせよと求められたのはその一つの反動だと思います。2020年6月には科学技術基本法が科学技術・イノベーション基本法に改正され、人文科学も対象に加えられました。しかし、これは効率化の一元支配が、イノベーション推進という形をとって、ついに人文学に及んできた事態とも言えます」
「通常、人文学では時間をコストとして意識しません。近視眼的になると大きな発想の転換は生まれません。人文学こそ長期的な視野で研究されるべきなのです。一方、人文学も現状を批判するだけでは不十分で、新たな選択肢を積極的に提案することも重要です」

——とりわけ哲学の役割は？

「人類は言葉を発明し、なすべき事柄をその工程表とともに言語化し、集団で共有してきました。哲学の根はそこにあります。今、我々の社会は巨大になり、共有される概念もますます増え、抽象的になってきました。『人権』のような新しい概念や価値を生み出し、それを人々の間で定着させることで社会を変えていく。これこそが知的な公共事業としての哲学の営みです。それは哲学者だけでなくメディアや政治家、司法関係者など様々な人々によっても担われるべき共同作業なのです」

「人文学は、よりよき未来、あるべき社会に向けて、効率化の一元支配に反撃する最後のとりでです。日本学術会議の問題と絡めて人文学のあり方が改めて問われているいま、その意義を社会のみなさんに一層訴えていかなければならないと感じています」

（2020年10月15日配信、聞き手・大牟田透）

第2章

分断を超えて

インタビュー　唐鳳 Audrey Tang

オードリー・タン

台湾デジタル担当政務委員

対立より対話で共通の価値観を見つけ憎悪の広がり回避を

新型コロナウイルスを流行初期のうちに抑え込んだ台湾で、その成功を支えたのは行政のデジタル化と官民の協調だった。同国の施策から浮き彫りになる日本の課題とは。

写真／本人提供

1981年生まれ。小中学校で不登校を経験。高校に進学せず、IT業界を経て2016年から民間登用の閣僚。トランスジェンダーを公表している。著書に『オードリー・タン デジタルとAIの未来を語る』など。

台湾はなぜパンデミックに対抗できたのか

――新型コロナウイルスの感染者が中国で見つかって1年が過ぎました。台湾が感染拡大を抑え込めた理由は何でしょうか。

「社会と行政と経済界との協力、と私たちは言っています。全社会的なアプローチと呼ぶ人もいます。例えばマスクです。30歳以上の人々は2003年に流行した重症急性呼吸器症候群（SARS）を覚えていて、マスクは手洗いとともに感染防止に効果的だと知っていました。行政は健康保険カードを使ったマスク配給制度を作りました。コンビニがマスク配給場所として名乗りを上げてくれました。誰かが主導したわけではなかったのです」

――3者の中では行政に大きな権限や影響力があります。人々は受け身になりがちでは？

「私はそう思いません。マスクが不足していたころ、行政は『風通しの良い地下鉄車内でマスクは不要』と説明しました。でも人々はマスクを着け続けたので、私たちは考えを改め、マスク増産に尽力しました。行政が権威的な指示をしていたら、こうならなかったでしょう」

——マスク不足の時期に民間のアイデアを採用し、ネット上にマスク供給地図を作りましたね。

「台湾には『勝てないなら一緒にやろう』という考えがあります。大気や水質の観測、災害時の救助活動でも共通しており、官民の信頼関係が基礎にあります」

——中国もコロナ抑止に成功したとされていますが。

「中国の手法は台湾と全く異なります。台湾は感染症対策部門の職員が、肺炎の流行をネットで発信していた武漢の李文亮医師（後に死去）の情報に気付き、即座に防疫を強化しました。憲法に規定がある緊急事態を宣言せず、都市封鎖もしていません。民主主義制度を傷めず、穏やかな方法で中国と同じような結果を得ました」

「一方で、李医師の情報は武漢の人々に届きませんでした。もし中国で言論の自由が確保されていたら結果は違っていたはずです。感染拡大を受け、中国は武漢の封鎖という手荒な手段をとらざるを得なくなったのです」

――携帯電話の位置情報や街の防犯カメラで対象者の行動履歴を調べる台湾の防疫手法自体は、中国と似ていませんか。

「強調したいのは、それらのシステムがコロナ禍以前からあるということです。例えば地震の発生を覚知すれば、携帯電話に警報が届く仕組みです。コロナ禍では、この携帯電話の微弱電波を利用した位置情報システムを使い、隔離対象者や感染者が指定場所から出た場合に、電話業者が警報を衛生部門や警察にも送りました」

――個人の位置情報は治安維持にも使えます。個人情報保護とのバランスをどう考えますか。

「防疫と治安維持は全く別物です。その上で言うと、私たちはコロナ禍で、憲法や法律に定めのない行政権限を得ようとは思っていません。世論には『全地球測位システム(GPS)の腕輪を着けさせて追跡するべきだ』との意見もありました。でも、それではより詳細な情報が得られてしまう」

「私たちは、地震などの警報で使う既存のシステムを使う方が人々に説明しやすいと考えました。同じシステムでも運用方法を変える場合は、行政のコロナ対策本部が立法院（国会）で説明しました。人々が行政のやり方を信頼して新たな運用を受け入れたのは、システムの原理や感染症学からみた必要性を理解したからです」

――世界で感染の勢いが止まりません。もし対策を任されたら何をしますか。

「現時点で最も重要なのはワクチン接種を確実に進めることです。ただ、SARSの時と同様、ウイルスの変異型が現れています。変異型が流行するまでを猶予期間とみて、民主主義を損なわずに対処できるよう、どんな法律や科学、医療や防疫技術が求められるのかを議論しておくことが必要です。早く取り組んでおかないと手遅れになります」

日本との違いは

――行政のデジタル化についてうかがいます。台湾は健康保険カードの個人データを使ってマスクを配りましたね。

「台湾には身分証明書と健康保険カードがあります。健康保険は外国人労働者を含む全住民が加入し、カード発行量は身分証明書より多いはずです。健康保険カードは医療関連情報だけが保存されていますが、今回のコロナ禍で経済部（経済省）は、消費振興の商品券を配る際、カードのデータを使いました。日本でも、マイナンバーカードで10万円の給付金が受け取れ、両者は似ています」

――日本政府はマイナンバーカードの普及を促していますが、情報流出の懸念などから取得が進んでいません。

「個人情報をめぐる不安を払拭（ふっしょく）するには二つのことが重要です。まず、誰がどんな時にカードにデータを書き込め、読み取れるのかを法制化することです。例えば法律で許可されていない保険会社が読み取ることは違法です」

「二つ目は、誰が内容を読み取ったのかを記録することです。後で問題が起きた時、刑事責任を追及するのにも役立ちます。台湾ではネット上で、自分の健康保険カードに誰がデータを書き込み、読み取ったのかを調べられます。医師の診断内容だけでなく、X線やCT撮影の写真も見られます。このシステムは官民の信頼を増すのに役立っていると思います」

――日本政府はデジタル庁の設立準備も進めています。台湾も行政のデジタル化を推進しています。どんな姿が理想でしょう。

「私たちは、『DIGI』と呼んでいます。『Digitalization』(デジタル化)、『Innovation』(革新)、『Government』(官民の共同統治)、『Inclusion』(包摂)の頭文字です」

「誰でもブロードバンドに接続できるようにすること。社会や産業の革新を促し、議論の場を設けること。利害が異なる各界の人との議論を通じ、共通の価値観を見いだせる統治方法をみつけること。これまで政策決定に関与してこなかった人々や、デジタル技術を使うのが苦手な年配者、地方在住者や若者を巻き込むことの四つです。デジタル環境を確実にして利用権を保護したうえで、社会の革新を促す。官民で統治の規則を作り、将来世代を含む様々な人々が意見を述べ、行政から説明を聞くことができるシステムです」

インフォデミックを回避するには

——実現への課題は?

「二つあります。デジタル技術が人々を結びつけた時、意見の相違から憎悪が生じることがあります。言論の自由が保障された社会で、この傾向は顕著でしょう。新型コロナウイルスのパンデミック(世界的大流行)になぞらえ、インフォデミックと呼びます。ウイルスのように感染していき、意見の異なる相手を人としてみなさなくなる。二つ目は、大きな革新が次の革新を妨げかねないことです。私は情報の集権化と呼んでいます。行政機関や多国籍企業などに権力が集中してしまい、革新を試みるためにはそれらから承認を得なければならなくなる状態です」

——解決できるでしょうか。

「全社会の取り組みが必要です。一つ目の課題で言えば、すでに多くの人々が自ら情報発信できるメディア的存在ですが、彼らは職業記者のような情報源の確認や複数情報の照合をしていません。未確認情報が散布されています。手を洗ってマスクをするのと同じく、人々が自らを守るためにメディアリテラシー（情報を見極める力）を向上させる必要があります。また、二つ目については、人々が今より物事の決定権を持てるような革新でないとだめです。人々に特定の価値観を押しつけるようなものでなく、説明責任も伴う革新であることが重要です」

――メディアリテラシーはどうすれば向上しますか？

「台湾では学校教育で取り組んでいます。教員が小学1年生に対しても、一つの答案だけを覚えさせるのでなく、自分の考えを持つように促し、同級生と討論させるのです。子供たちは教員の示す標準的な答えが必ずしも完全ではないと考え、自分で判断するようになります。これを中学卒業まで続けています」

――高齢者や低所得層などデジタル弱者への安全網は？

「人が科学技術に合わせるのではなく、科学技術を人に合うように変えねばなりません。

マスク配給制度は当初、コンビニのＡＴＭでコロナ対策本部に代金を振り込む方法でしたが、私の祖母（88）はＡＴＭを使ったことがなく、友人の女性（77）も特殊詐欺が怖くて振り込まなかったそうです。祖母らは、使い慣れた健康保険カードで配給してほしいと私に言いました。最終的に採用したのは健康保険カードでの本人確認とコンビニでの現金払いで、これは面倒にも見えますが、デジタル弱者に安心感を与えるのです」

共通の価値観を見いだすことが大事
——台湾で民意が政策に反映されやすいのはなぜでしょう。

「台湾は民主化してまだ時間が経っていません。最初の総統直接選挙は１９９６年です。ただ、当時すでに自らの意見を発信できるネットがあり、私たちには、民主主義とは（民進党と国民党という）２大政党の争いではなく、多くの価値観を持つ人々が対話していくことだという考え方があったのです。また、民主化前から環境保護など社会運動の長い歴史がありました。テーマによっては行政を上回る説得力を持っています」

――新たなアイデアは往々にして既得権益とぶつかります。

「大切なのは意見の異なる相手の立場を理解しようとする気持ちです。台湾では使い捨てのプラスチック食器やストローの使用を一部で禁じています。環境意識の向上を受け、これらの製造業者も実は転換を望んでいます。業者が持つ技術を取り込めば環境循環型の社会を作れます。対立でなく対話によって共通の価値観を見いだすことが大事だと思います」

（2021年1月14日配信、聞き手・石田耕一郎）

ロバート キャンベル

日本文学研究者

見えない日本の貧困
重りをとっぱらって
真の豊かな国に

新型コロナウイルスによる経済への打撃が、弱い立場の人たちをさらに追い詰めている。米国で育った日本文学研究者に、貧困の問題はどう映っているのか。

ニューヨーク市生まれ。ハーバード大学大学院東アジア言語文化学科博士課程修了、文学博士。早稲田大学特命教授。早稲田大学国際文学館顧問。国文学研究資料館前館長。専門は近世・近代日本文学。

貧富の差が厳然としている米国

私はニューヨークの中でもブロンクスという低所得者が多い労働者の町で生まれ育ちました。母は私が物心のつく前に父と別れ、私は母のもとで育てられました。高卒だった母はマンハッタンにある出版社で秘書として働き、私を一人で育ててくれました。

月給は決して高くなく、エレベーターがない5階建てのアパートの最上階に暮らしていて、家賃も非常に安かったと思います。周りは多人種で、ユダヤ系、プエルトリコ系、アフリカ系など、いろんな人たちがいて、アパートの踊り場ごとに全然違う言葉が飛び交うような環境でしたね。

私の祖父母やその兄弟たちはかなり子宝に恵まれる人たちが多く、親戚が周りにたくさんいました。助け合うともなく、自然に支え合ったりするようなシステムがありました。

このような話をすると、お金はないけれど心が満たされているという、日本の映画

『ALWAYS　三丁目の夕日』のようなイメージを抱くかもしれませんが、決してユートピアではありません。親戚の中には、アルコールをたくさん飲んでいて子供の面倒がちゃんとみられない人もいたし、DVがあったり、ゴミだらけの部屋に暮らしていたりする家庭もありました。私たちは全員、低所得者だけど、なんとか家賃と光熱費が払え、授業料が安い教会付属の学校に行けるという状況でした。

ブロンクスでは格差を感じることはありませんでした。なぜなら、歩いてすぐのところにお金持ちが住んでいる家があるわけではないし、素敵な洋服を着ているお兄さんやお姉さんが周りにいるわけでもないのでわからないのです。みんな低所得者だったんですね。

そういう生活があることは、中学生になってから初めて知り、はっとしたことを覚えています。だから子供時代はひとり親世帯でしたが、何かが欠落している、お金が足りないということを感じず、鈍感に育つことができたのです。米国は郵便番号、つまり居住地域によって、その人の所得のレベルがわかります。「持てる者」と「持たざる者」

が厳然と分かれている社会ですね。

「見つめ合わない」日本は、貧困が見えにくい

私は日本に来て35年ほどになります。1985年の夏、福岡に留学しました。福岡では言葉も街並みも、それから街を歩いている人たちの姿を見ても、少なくとも85年の段階ではほとんど格差を感じることはなかったです。みんな小奇麗に、清潔にしているわけです。本当に「総中流社会」に見えました。もちろん、お金をたくさん持っている人がいることもわかりましたが、「可視化されていない」と感じました。

80年代後半のバブル最盛期、福岡でもどんどん素敵なデザイナーズホテルや新しいマンションができたり、昨日とは全然違う外車を乗り回す人が現れたりして、短期間で明暗がくっきりとわかるようになりました。バブルがはじけると、突然夜に消えていなくなる人、自殺をするという人たちが身近に出てきました。もともとお金も土地もなく、投資もできなかった人たちはそのままで、やっぱり日本にも明暗、格差があるなという

ことがくっきりと見えるようになりました。

90年代に東京に移住し、ますます隣に誰が住んでいるかがわからなくなりました。たくさんの物を持っている人と、全然持っていない人たちがない交ぜになって近所で暮らしている。明らかに子供たちが十分に食べていないっていう状況はあるんだけど、その子供たちはどこにいるかっていうことがわからないのです。

日本の貧困の一つの特徴は「見えない」こと。見せると子供が学校でいじめられはしないか、就職するときに不利になるんじゃないか、大人になってパートナーを見つけるときに不利になるんじゃないか。つまり、そんな不安を感じさせる社会空間で、内実を見抜かれないように、お互いをあまり見つめ合わなくなっているのだと思います。

つながって、重りをとっぱらう

いま米国社会は極端に分断され、多くの問題を抱えています。そんな米国で育った人間として思うことは、人から非難され不利益を被ることを恐れるあまり、新たな一歩が踏み出せない、そんな重りのようなものを日本社会が抱えていて、所得や立場、健康状態、セクシュアリティーによって、潜在能力が１００％発揮されない人がいるのなら、これから丁寧にその重りのようなものをとっぱらっていかなければいけないということです。そうしないと、この国が真の意味で豊かな社会になる道はないと思うし、他国に知恵や物を提供し、協働していく力を持った人を育てられないと思っています。

それでも、たとえば子供が目の前に3人いて、それがひとり親家庭だとしたら、とにかくスマホを与えて時間を潰させるっていうことしか本当にできないという現実もあると思います。だから、いま誰にでもできることとすれば、バーベキューでも、防災訓練でも何でもよいので、何かをするとき、子供の同級生や近所の人たちに、そして普段つきあっているのと違う人にもちょっと声掛けをしてほしい。

信号待ちで青信号に変わるまでの間に、左右にいる人たちに話しかけてみてほしい。「信号待ちの絆（きずな）」というのをつくるという心持ちです。信号が青に変わればバラバラになることはわかっていて、その前提で、隣の人にちょっと声をかける。

天気の話でも、「素敵なかばんですね」でも、「その犬ってどういう種類ですか」でも何でもいいんです。そういうふうにすることによって、どこかでそれが一つの糸になって、その人の親であったり、子供であったり、またその人がつながっている人と何かが充実していく糸口になるかもしれません。逆にそれが自分にとって、生活が豊かに感じる糸口になるかもしれません。

特にこの春から、コロナ禍でだんだんと人々の視界が狭くなっているように感じます。狭くなっても生きていける安定した人たちもいるかもしれないけれど、これ以上狭まると何かがあったときに立ちゆかなくなる人もいるわけです。その人たちの声が届かない、存在が見えなくなってしまうということが起きかねないと思います。ですから、そういうふうに放置されかねない人が一人でも多く明日をもう少し気持ちよく迎えられるように、心がけていくことができないかと思っています。

（2020年10月19日配信、聞き手・合田禄、篠健一郎）

インタビュー

パオロ・ジョルダーノ

Paolo Giordano

小説家

複雑な問題には単純な解決策は存在しない

「すべてが終わった時、本当に僕たちは以前とまったく同じ世界を再現したいのだろうか」。イタリアから、そう問いかけた作家がいる。私たちはいま何を考えるべきなのか。

photo©Raffaella Lops

1982年生まれ。大学で物理学を学び、数学の「双子素数」をモチーフに2人の若い男女の人間関係を描いた『素数たちの孤独』で、イタリア文学の最高賞であるストレーガ賞を受賞。著書に『コロナの時代の僕ら』など。

新型コロナは最後の脅威ではない

新型コロナのワクチンが行き渡れば、みんなマスクを外して、これまでのすべてを忘れてしまうかもしれません。それは、亡くなった人や今なお苦しむ人に対して、とても失礼な態度だと思います。

私はこの1カ月半、父が長く勤めたトリノ北部の病院に通い、集中治療室の医師や看護師など多くの人から話を聞きました。改めて痛感したのは、この病気が数字の上で増えているだけでなく、私たち人間の体に実際に起きているということであり、未来のためにその記録を残す必要があるということでした。

『コロナの時代の僕ら』（日本語版）で私は、コロナ禍での出来事や人々の姿について、何度も「僕は忘れたくない」と書きました。それは、私たちがこの危機と苦い教訓を記憶し、今こそ物の見方を変えるチャンスにしようと伝えたかったからです。

新型コロナは、私たちが直面する地球規模の脅威のうち、最後のものにはならないでしょう。環境問題では、私たちはもっと致死的で破滅的な脅威が起きかねない瀬戸際にいます。

このパンデミック（世界的大流行）は、気候変動対策や地球の持続可能性といった問題の重大性について、改めて私たちに気づかせました。予測できない危機が全世界で起きたことで、私たちの意識が世界レベルの問題に向けられたからです。社会的弱者や最も貧しい国がより大きな影響を受けるという点では、新型コロナも同じですが、しかし、気候や環境の問題はもっと複雑です。

この危機を記録し続けたい

私たちは今回のパンデミックから、「複雑な問題に対して単純な解決策は存在しない」ということを学びました。気候変動のようなさらに大きな問題を解決するには、一時的に我慢して習慣を変えればいいというのではなく、私たちが永続的に変わらなければ効果は表れないのです。

コロナ後の世界を想像することは、現時点では難しいかもしれません。けれども、ワクチンが行き渡った時、私たちは危機意識がなくなってしまって、コロナ禍の中で考えたり悩んだりしたことをすべて忘れてしまうのでしょうか。私はそうなってほしくない。今を人類が変わる転換点にするためにも、現在の危機を記録し続けたいと思います。

（2021年1月3日配信、聞き手・河原田慎一）

インタビュー

金田一秀穂

Hideho Kindaichi

言語学者

日本語という「不思議な」言葉は緊急事態に向かない

「緊急事態宣言を発出する――」。なんとも物々しい言い方が、政府やメディアで頻繁に使われている。非常時のこうした言葉遣いの背後に一体何があるのか。

きんだいち・ひでほ／1953年東京生まれ。東京外国語大学大学院修了。政策研究大学院大学客員教授、山梨県立図書館館長、杏林大学特任教授。アメリカ、ブラジルなどの海外で日本語教師指導を行う。著書多数。

宣言そのものが行為になる
――「緊急事態宣言を発出」と言われると、よくわからなくなります。「緊急事態を宣言する」ならわかりますが、緊急事態なのか、緊急事態だということにしたいのか。「発出」という言葉も聞き慣れません。

「僕も2020年4月に緊急事態宣言が出た時、『なんなんだ、この発出という言葉は』と思った。『発令する』が普通の言い方。重々しく言いたかったのだろうという気がします」

「それから、『緊急事態だ』と言えば良いはずなのに、『緊急事態宣言を～する』、とワンクッションある言い方をする。宣言というものが、とても偉いもののように聞こえてしまう。選手宣誓の『宣誓』のように、そういう言葉は非日常のものです」

「言語行為論では、何かを言うことそのものが何らかの行為になる、という考え方があります。たとえば、『昔々、おじいさんとおばあさんがいました』と言うと、おじいさんとおばあさんがいたことについて、その真偽を含め、いろいろと考えうる余地があります。しかし、『おじいさんとおばあさんがいたと宣言します』と言うと、その真偽が確定できなくなります。宣言そのものが行為となり、その宣言の内容については問われなくなります」

「『緊急事態になった』と言うと、いまがほんとうに緊急事態なのか、議論する余地が生まれるが、『緊急事態宣言を発出する』と言われると、はい、と言うしかなくなり、思考停止状態になります。とくに政府に言われてしまうと、それで終わり。それがどこか新型コロナウイルスをひとごとに感じることにつながっているのではないでしょうか」

——思考停止状態に陥る、その背後にあるものは何なのでしょうか。

「日本人はAとBという意見があると、その中間で落としどころを探す議論をします。経済が動かなくては困る一方で、命も守らなくてはいけません。本当は24時間外に出るなと言えれば良いですが、飲食店の人が困るからそうは言えません。だから『午後8時以降』の自粛要請と言わなければいけません」

「それはどちらもが賛成する案ではなく、どちらからも文句を言われない案を探しているということ。AとBの意見をぶつけて全く違うCという解決策をつくる西洋の弁証法の考え方とは正反対です。『和をもって貴しとなす』というのは、全員が賛成するのではなくて、誰からも文句を言われない意見を採用するということです」

「日本人は世間というものをすごく大切にします。『みっともない』『きちんとやる』『しっかりやる』という言葉が好き。とくに安倍晋三前首相は『しっかりやる』という言葉が大好きでした。これは要するに、『周りから見て文句を言われないようにやる』ということ。『褒めてもらえるように』ではありません。それが日本人のとても大切な倫理、道徳律になっています」

「英語ではよく、"I'm proud of you"（あなたは私の誇りだ）と言います。褒めています。それに対して日本人がよく使う『大丈夫です』という言葉は、『あなたの言動を僕は問題だと思っていない』という意味になります」

「僕らは、直接は知らない時代だけれど、いまは太平洋戦争のころとよく似ていると思います。人がどんどん死んでいき、戦争をやめようと思う人たちも大勢いたに違いありませんが、やめるというとどこからも文句が出ます。だからずるずると判断が遅くなりました」

「今回も決めづらいという点がとてもよく似ています。その『決められなさ』を僕らはわかっています。だから政府の言うことがあてにできなくなり、自分で考えるしかなくなったという状況にいるのではないでしょうか」

「さらに言うと、先ほど言った『落としどころ』があるというのは、問題が生じた時点で、解答を新たにつくるのではなく、すでにどこかに解決方法があるという考え方です」

「だから、緊急事態宣言についても、発令するタイミングが遅いか早いか、延長するかしないかという議論にしかならない。どういう状態が緊急事態と言って良くて、いまがそう言えるのかという議論が出てきていないのにはそういう理由もあります」

日本語は落としどころを探す言葉

――日本人は、物事を決めるのが苦手ということでしょうか。

「日本は、八百万（やおよろず）の神様がいて、それぞれ言うことが違って、それで良いという国。それぐらいいい加減。ありようとしては本来、どちらともつかずにぐだぐだしている方が良いんだと思います。だから強力なリーダーシップを発揮するのには向いていません。なによりひとを説得するのが不得意です。日本人は落としどころを探ろうとしたら、ただ議論するだけではできません。それではケンカになってしまう。会食の場に臨み、共にご飯を食べることで、言葉がやわらかくなる。それは合意形成のとても重要な手段でした。だから、政治家はコロナ禍でも会食をやめられません」

――日本語が落としどころを探す言葉で、人から見て文句が出ない状態を目指すとしたら、どうしたら緊急時に言葉が届くのでしょうか。

「場当たり的にならざるを得ません。ポリシーが変にあると必ず衝突します。政治的な発信は、あまり日本人には向いていません。変幻自在、融通無碍。それは良さでもあり、だらしないといえばだらしない」

（2021年2月7日配信、聞き手・興野優平）

第3章

危機と国家

インタビュー

岩田健太郎

Kentaro Iwata

感染症内科医

「条件なき」緊急事態宣言は伝わらない

新型コロナウイルスの変異株の感染が広がっている。神戸市内では、２０２１年３月15～21日に変異株検査を行ったウイルスの50%を超えた。このパンデミックの対応策とは。

いわた・けんたろう／１９７１年生まれ、島根医科大学（現・島根大学医学部）卒業。亀田総合病院等での勤務を経て、08年より神戸大学大学院医学研究科教授。専門は感染症学。著書に『コロナと生きる』（内田 樹氏との共著）など。

「宣言」は最後の手段

新型コロナウイルスの感染拡大を受け、東京、神奈川、千葉、埼玉の1都3県の知事が緊急事態宣言を出すように政府に要請し、官邸側の判断が注目されている。感染症内科医の岩田健太郎・神戸大学大学院教授は、「政府はずっとポイントを無視してきた」とこれまでの対応を批判しつつ、緊急事態宣言については慎重な姿勢だ。考えを聞いた。

――緊急事態宣言が必要な事態になっていると考えますか。

「『宣言』は他の方法が一切通用しなくなった時の最後の手段です。そうでない対応の仕方はあると思います。効果さえ出れば何でもいい。『感染者を減らす』ということが一番大事です」

「しかし、2020年7月以降の日本政府は、このポイントをずっと無視してきました。『若者中心で』『繁華街中心で』『無症状の人が多く』『重症者は増えていない』『死者は増えていない』『医療は逼迫（ひっぱく）していない』と言い続けました」

「基本に戻り、感染者を減らす対策を打つ必要があります。減らなければもっと強める。減っていないのに対策の現状維持はあり得ません」

「今のままでいくと、どこかで緊急事態宣言という刀を振るわなければならなくなりますが、その前にもっと強い手を打つべきだと個人的には思っています」

——強い手とは?

「宣言を『出す』ための条件を提示すべきです。『ここを超えたら緊急事態宣言を出しますから今、頑張ってください。さもなければ出しますよ』と」

「本当は11月下旬からの『勝負の3週間』のタイミングで出せればよかったのですが、そこまで作戦が上手ではありませんでした。政府に本気でやるという印象がまったくないのです」

——勝負の3週間の後は「急所」を押さえるというメッセージだったが、それもできていないという評価ですか。

「政府のコロナ対策分科会はメッセージの出し方が上手ではありませんでした。疫学的なデータから『ここが重点である』という論理で攻めたと思いますが、かえってわかりにくくなってしまいました」

「シンプルに『家から出るな』とか、『忘年会は行くな』というメッセージを出せばよかったと思います。だが、『帰省は慎重に判断を』では伝わりません」

「首相が涙を流してでも家にいてくれと言えばよかった。それをする覚悟ができていないのです」

「僕らが2020年12月の半ば、『病院は大変なことになっているぞ』と思っている時に、政治家たちは忘年会を企画していました。それぐらいのんきでした。逆説的ですが、医療が一回壊れてみないと伝わらないのかと絶望的な気分でいます」

――兵庫県も医療にかなりの負荷がかかっていますか。

「病院は今、飽和状態になっていて、ある意味の定常状態です。患者を紹介されても、『入院は受けられませんよ』とお断りすることも珍しくありません」

「コロナの病床を増やせと言われて増やすと、ＩＣＵ（集中治療室）の他の病気のベッドが減ります。そうするとケガ人や、冬場で増えている心筋梗塞などの心臓の病気の患者さんを基幹病院が断って、行き場が無くなります」

「新型コロナの患者さんでも、高齢者で息が苦しいと訴えていても受け入れ病院がありません、というのが現状になっています。そうやってぽつりぽつりと苦しむ人が増えています」

「医療崩壊は、医師や看護師が疲れてということではないし、医療従事者のために崩壊を阻止するということではありません。結局崩壊して一番苦しむのは患者さん。その理解が広がっていません。危機感を醸成できれば、緊急事態宣言は回避できると思います」

――回避できなかった場合、どのような形で「宣言」を出すのがいいのでしょうか。

「万策尽きるちょっと前には始めたほうが傷は小さく済みます。遅れれば遅れるほど規模を大きくしなければなりません。関東圏だけなど小さな規模でできるだけ強制力に近いような強い形でメッセージを出し、短い範囲でやる。春先の緊急事態宣言は全部その逆でした。遅かったし広かったし、長かった」

（2021年1月3日配信、聞き手・月舘彩子）

＊

なぜ、めったに起こらないことが起こりうるのか
——変異株の報告が増えています。

「神戸市の感染者、重症者が増えていて重症患者用の病床は逼迫しつつあります。最大の理由は、変異株に感染した人の割合が増えていることだと考えています。去年はゼロだったが、2021年2月以降増えだしました」

「ウイルスの遺伝情報は突然変異で変わっていくが、ウイルスの性質を大きく変えることは通常はありません。感染症の歴史をみても、ウイルスの性質が激変することはめったに起こりません」

「しかし、新型コロナウイルスでは、性質が変化する変異株が短期間に複数出てきまし

た。英国株は感染しやすく、死亡リスクも高いという報告が出ています」

「なぜ、めったに起こらないことが起こりうるかというと、感染者が非常に多いからです。地球上で新型コロナウイルスに感染した人は1億人を超えました。頻度が非常に低くても数が非常に増えれば、ウイルスの性質が変わる変異が生じるリスクは高くなります」

死亡率が低いからこそ「危険」

――今後の感染状況をどう予測されますか。


「新型コロナウイルスの流行については、人の行動が大きく影響します。歓送迎会や花見でお酒を飲む人が増えれば、感染が拡大するし、対策を強めれば感染を抑えられます」

「伝統的な微生物学ではウイルスの特徴が感染の広がりを決めると考えがちでしたが、新型コロナウイルスについては特に人が大事です。もちろん、変異株という『ウイルス』の側面が感染を拡大させているのですが、かといってウイルスだけを見ていてはわかりません」

「人の行動を洞察することがとても重要です。ウイルスの性質がどうこうと言う前に、社会の中で人がどうふるまうかによるところが大きい。人の安心や不安といった心理面も大きく影響します。初期条件から現象を予測できる天気予報などとは大きく違います」

――どのくらい危険なウイルスだと認識したほうがいいですか。

「世界で1億人以上が感染し、270万人以上が死亡した、とても危険なウイルスです。感染者の大多数が元気に歩き回ることができ、死亡率は低い。実はそこが『危険』なのです。大多数が元気だからこそ、感染が短期間で世界中に拡大しました」

「1年間、我慢して、なんでここまでやらないといけないのか、と思う人がいるかもしれません。しかし、新型コロナウイルスは強い対策をしてもなくなっていません。この強い対策でインフルエンザウイルスに感染した人は激減、ほぼ皆無状態になったのに、その対策でも新型コロナウイルスには、これだけしか効果がありませんでした」

「もし、対策しなければどうなるかは火を見るより明らかで、感染対策をしていくしかありません。まだ感染していない人のほうが圧倒的に多いので、集団免疫もすぐには期待できません」

――どのような対策をしたらいいのでしょう。

「変異株といっても、手洗い、マスクなど基本的な対策は同じです。切り札となるワクチンがいきわたるまでは時間がかかります。この状況の中で特に注力すべきは、リモートワークです。飲食店対策と異なり、経済ダメージが小さく、むしろ生産性を上げることすらできます。オンラインでできることはオンラインで行うことを徹底して推進すればよいのです」

「大学の教授会もオンラインで行うと議論が短く効率的になりました。これは、場の雰囲気、『空気』で決めてきた古い慣習からロジックでものごとを進めるやり方に変えるチャンスでもあります」

（2021年4月4日配信、聞き手・瀬川茂子）

西浦 博

感染症疫学者

政治家には覚悟のかけらもなかった

新型コロナとの闘いの中で、見えてきた日本社会の課題とは何か。2020年春、「人との接触の8割削減」を呼びかけた感染症疫学者に、「第4波」にどう立ち向かうかを聞いた。

にしうら・ひろし／1977年生まれ。北海道大学教授を経て京都大学教授。専門は感染症疫学。「第1波」の際、厚生労働省クラスター対策班の中心となった。著書に『新型コロナからいのちを守れ！』（川端裕人氏との共著）。

組織の問題が大きい

――新型コロナ対策を振り返って、自分たち専門家は適切に行動したと考えますか。

「全体的に適切だったかを評価するにはまだ早いと思いますが、現時点では『イエス・アンド・ノー』です。すべてイエスと言えるだけの環境が与えられなかったし、幾多の失敗も重ねました」

――「環境が与えられなかった」というのは、具体的には？

「一番大きいのは組織の問題です。第1波のとき、厚生労働省のクラスター対策班で仕事をしていたのですが、そこで分析した結果が、政策的な判断を下す官邸に届くまでに、厚い壁のようなものが何枚もありました。科学的な知見を採り入れるべき政策判断と、官僚制システムがかみ合っていない」

「当時の厚労大臣だった加藤勝信さんには毎日のように会って、かなり厳しいことも言わせてもらっていました。しかし、その後、官邸での会議に専門家の提言が直接出されるわけではないのです。厚労省内で調整して、ようやく事務次官や医系技官のトップの医務技監が官邸に伝える」

――著書『新型コロナからいのちを守れ！』を読むと、西浦さんたち専門家と厚労省や政府との間でかなり摩擦があったようです。

「第1波のときは、いつも会議の前々日くらいから、『嵐』が起きていました。2020年3月19日の専門家会議の前には、それこそ怒号が飛び交うような状態でした。僕は重症者数のシミュレーションをして、このままだと病床が足りなくなるという試算を会議に出したのですが、厚労省側からは『混乱を招く』と大反対された。一方で、会議の直前になって、政府側から『こういう別の対策が入ります』と言ってくる。前日の夜に資料が回覧されるものもあり、専門家の意見を採り入れたり、変えたりできない状態でした」

「ただ、第1波が終わった頃から、政治と科学のやりとりは徐々に円滑になったとは思います。分科会を通じて分析や提言を上げていくルートが確立されたことが大きいようです。現在僕は、厚労省とつながりがあるだけで、内閣官房の組織には入っていないのですが、分科会の先生方から『西浦君が必死に叫んでいた頃よりはだいぶよくなった』と聞いています」

——一方で、菅政権になって「厚労省から首相へのインプットが減った」とも語っていました。

「専門家と政治のコミュニケーションが悪くなったというより、官僚が空気を読むようになりました。第1波のときは、みんな手探り状態でしたから、医務技監を通じて直言してもらいやすかった。今は、官邸に上げる前に、この話は通る、これは通らないというのが見えてしまうので、官僚の段階でふるいにかけられています」

——第3波では、GoTo停止や緊急事態宣言が遅れたのでは。

「僕や国際医療福祉大の和田耕治先生など40代の若手の間では、2020年10月末頃から『もうステージ3に入る』『GoToトラベルはやめたほうがいい』という議論はしていました。分科会会長の尾身茂先生から『そろそろ総理に厳しいことを言おうと思うんだよ』と、ＧｏＴｏ停止の提言について相談されたこともありました」

「ただ、第1波で専門家が前のめりになりすぎたこともあり、緊急事態宣言を出すべきだという『政治判断』に踏み込まないほうがいいという分科会の意思はありました。僕も当初は、第3波では分析に徹して、国民世論に呼びかけることは控えるつもりでした」

――2021年1月に「東京の感染沈静化には2カ月以上かかる」「ステージ3で宣言解除すればすぐ再拡大する」などの試算を出しました。なぜ考えを変えたのですか。

「昨年12月中頃に、和田先生がＮＨＫで緊急事態宣言を出すように呼びかけた。その勇気を見て、テレビの前で泣きかけました。分析に徹するという自身のちっぽけな姿勢を恥ずかしく思い、専門家の提言が政府に届いていない以上、僕たちが国民に訴えることで世論を動かし、政治の判断を変えさせるしかないと痛感しました」

「ただ、そうすることで、和田先生も僕も『傷』を負うわけです。僕には理論疫学者と医療者の両方の顔があります。疫学者としては、データを分析し、アドバイスすることに徹する。一方で、医療者としては、最悪の事態を避ける使命があります。医療崩壊が起きて多くの死者が出ることを防ぐために、医療者として発言したことは後悔していません。でも、そこで傷を負う覚悟が必要なのは、やはりおかしいと思うのです」

――第1波のときには、殺害予告まで受けたと書いていますね。

「今回、対策に関わった先生の多くは医学部の出身で、医療者の規範を持っています。人命を救うためには、ある程度、批判されても仕方がないという覚悟はあるでしょう。ただ、これから疫学を学ぼうとしている人たちが『感染症の専門家はそこまで覚悟しなければいけないのか』と思ってしまうのは、後進の育成という点では全く望ましくありません」

政治と科学の軋轢にのみ込まれた

――2020年4月に「何もしなければ42万人死亡」「人との接触の8割削減が必要」という試算を公表しましたが、本来は政治家がやるべきことだったのでは?

「いずれも政治がやるべきなのはおっしゃる通りです。しかし、いまの日本の政治・行政の仕組みではとてもできない。病床の想定を超える流行を語ることさえ、厚労省ではご法度でした。8割削減についても、本来は専門家会議を通じて説明する予定でしたが、政策の駆け引きに時間が奪われて、科学がフィードバックする時間がなかった。被害想定を出さずに、国民に痛みを強いる対策をすべきではありません。何がベストかを考え、個人として公表しました」

「いま見直しても、死者42万人という被害想定は、科学的妥当性では大きな問題はないと思っています。しかし、そうした『恐れに通じるコミュニケーション』はもっと慎重にやるべきだと、先輩の先生から怒られもしました」

——コミュニケーションの面では課題が残ったと。

「コロナ禍では、科学コミュニケーションが敗北したと思っています。感染を広げないために、特定の場での接触を避けてほしいということを、社会の様々な層に、様々なチャンネルを使って伝えるべきでしたが、十分にできなかった。何人かの専門家がそれに挑んだのですが、政治と科学の軋轢の中にのみ込まれてしまった」

「本来なら政治家が自らの責任で、『感染を防ぐ主体は国民です』『接触が減るかどうかは皆さんの行動次第です』とはっきり言うべきでしたが、その覚悟のかけらもなかった。緊急事態宣言の一部解除の際に、首相が会見を拒否することさえありました」

「サーキットブレーカー」が必要

――今後の感染症に備えるために、どんな仕組みが必要ですか。

「まず、政府に科学顧問を置くことです。感染症の専門家でなくてもいいのですが、専門家の意見を吸い上げることができ、科学コミュニケーションにたけている。そういう科学顧問の組織を、独立性を保障した上で内閣の近くに常設するのが望ましいと思います」

「感染症の専門家と社会科学との協働も必要です。すでに、東大の経済学者の皆さんが、GDPの損失などのシミュレーションで協力してくれています。都市計画や人の移動のルールづくりも考えるべきですが、権利の問題と関わってくるので、法律の専門家に入ってもらう必要もあるでしょう」

――10年後、20年後の流行に対応する人材は十分ですか。

「すでに、次の世代の疫学者をどう育成していくかということは、水面下で話し合っています。人口減少社会の日本では、感染症対策に割けるリソースも限られてくるでしょう。その中で、疫学の高度な専門性を備えた人材をどう増やしていくかが課題です」

「医学系だけではなく、理学や工学、社会科学系の人にも数理疫学のトレーニングを受ける機会を提供したいと思っています。普段は他の分野で働いている人たちが、いざというときに感染症対策に参加できるような育成・研修システムを作っていく。そうした専門性のあり方が望ましいですね」

――第4波の拡大を許さないためには何が必要ですか。

「ステージ3以上では、店を閉める、外出の自粛など、人々の権利を制限する対策が必要になります。感染者数や検査陽性率、病床占有率などの指標が一定値を超えたとき、必ず対策を発動できる『サーキットブレーカー』が必要です。特に変異株は感染性が高く、感染者増加の速度も速いことが予測されます。どれだけ先回りして対策できるかが、第4波拡大の行く末を左右すると思います」

（2021年4月2日配信、聞き手・尾沢智史）

カーメン・ラインハート

世界銀行チーフエコノミスト

世界銀行が危惧する「静かな」金融危機日本が陥った罠とは

新型コロナ禍は、二つの世界大戦と世界恐慌に次ぐ近現代史上4番目の規模となる危機を世界経済にもたらした。破綻(はたん)は避けられるのか。金融緩和と財政出動の是非は。

1955年生まれ。ハーバード大学教授、世界銀行副総裁兼チーフエコノミスト。政府債務・金融危機の研究で知られ、世界で最も影響力のある経済学者の一人とされる。世界が直面するかつてない危機の克服に向けて主導的な役割を担う。

コロナ禍での当座の資金繰りの問題、見過ごされた不良債権

――コロナ危機は、歴史的にみて、どんな危機なのでしょうか。

「多くの都市がロックダウン（都市封鎖）となり、経済活動が激しく破壊されたという意味では『戦争』に近い、と私は考えています。そしていま、世界経済は静かな金融危機へと移行しつつあります。過去に何度も起きた典型的な金融危機とは、やや様相が異なっている、といえます」

――主要国の大盤振る舞いの財政・金融政策で、経済は小康状態を取り戻したように見えますが。

「コロナ危機の発生後、先進国、新興国を問わず、世界中の銀行は大量のマネーを企業や家計に流し込んできました。時には政府に促される形で、借金の返済猶予を認めるなどして当座の資金繰りを支えてきました。しかし、1年たった今もパンデミック（世界的大流行）は続き、営業制限など非常時の措置も残っています。その結果、失業が長引

く個人や、売り上げ減が続く小売り、娯楽、観光産業では、当座の資金繰りの問題ではなく、長く債務の返済が見込めないケースが増えていきます」

——それがいま、起こりつつある「金融危機」ですか？

「財政・金融政策ばかりが注目された一方で、銀行の不良債権問題のリスクが見過ごされてきてしまったのです。当面の借金の返済猶予期間が終わったとき、銀行のバランスシート（貸借対照表）のうちどれくらいが不良債権になるのか、皆目見当がつきません」

——その金融危機はいつどのような形で顕在化するのですか。

「2008年9月のリーマン・ショックのように、危機のきっかけになる『瞬間』が訪れるとは限りません。私が『静かな』金融危機と名付けたのはこのためです。銀行が貸し出しを渋ったり、貸しはがしをしたりする信用収縮が起きれば、資金調達が難しい貧困層の生活や中小企業の経営を直撃し、世界経済の復興を長く阻害することになります。こんな形で銀行や金融システムに関する危機が、じわじわと世界中に幅広く根を張っていくのだと思います」

――バブル崩壊後の日本経済の長期低迷の要因となった平成の金融危機にも重なって見えます。

「当時の日本は、銀行の不良債権処理に非常に漸進的な態度で臨みました。結果的に処理が遅れて銀行の信用収縮は長期にわたり、成長の足かせになりました。当局がより積極的に介入し、早く銀行のバランスシート調整を終えるべきだったというのが、学ぶべき教訓でしょう」

コロナ禍は戦争、債務膨張もやむを得ない

――歴史を振り返れば、金融危機の後で政府の債務が膨らみ、破綻したケースは多い。主流経済学者の多くが、今回は巨額の財政出動を求めているのはなぜですか。

「ある意味で、コロナ禍は『戦争』だからです。私自身、これまでは債務の膨張に厳しい見方をしてきましたが、今回は、戦争に勝つのが先決でどう支払うかを考えるのは後から、というやり方もやむを得ないと思います」

——あなたは主著『国家は破綻する——金融危機の800年』で、国家や企業の債務が膨らみ、バブルが破綻するときはどの国でも「今回だけは特別だ」という過信が広がっていたと警鐘を鳴らしていました。コロナ危機も同じ轍を踏むのではありませんか？

「債務の問題にいつかは向き合わなければならないのは事実です。ただ、今回の危機で、政府の債務削減を優先するあまり、経済の復興を阻害することになってはならない。それは順序が逆です。まずは復興を優先しなければ、本末転倒な結果を招くことになる。また、経済危機からの反動による一時的な回復を本格的な復興と誤信することへの警戒も必要です」

——債務の膨張にはひとまず目をつむれ、ということですか？

「債務の問題を決して甘く見ているわけではありません。ただ、いまは復興の芽を摘む時期ではない、ということです。追加の財政出動が可能な先進国は、打撃が集中した個人や企業に資本を入れて支えるべきで、緊縮に転じるのは時期尚早です。世界には日米のように巨大な債務を抱えながらも財政出動が打てる国もあれば、コロナ禍の前から重債務に苦しんでいた国もあります。債務の返済猶予を求める貧しい国々は財政出動の余裕すらなく、経済危機につながる『割れ目』が集積している状況です」

「コロナ危機は、こうした国際間の貧富の格差から、国内の業種間の格差に至るまであらゆるレベルで格差を広げている。きわめて『不平等な危機』なのです」

縛られた中央銀行の手、重要性増す財政政策

——しかし、昨年の日本の政府債務残高見通しは国内総生産（GDP）比で258％超にのぼり、先進国でも突出しています。そのリスクをどうとらえていますか。

「100年に1度というコロナ危機に積極的な財政出動は当然です。日本の場合、国債が国内で消化され、多くを日本銀行が保有していることもあり、国債が売られて暴落するような事態が起きるとは考えていません。ただし、長期的に政府債務の問題を懸念する必要がないかというと、そうではありません。人口が減るなか、現行の社会保障の水

準を保とうとすれば、増税の問題にも向き合う必要があるでしょう」

――日米などは超金融緩和が常態化し、株価高騰など副作用ももたらしています。しかし、政府や国民の債務負担が急増することを考えれば利上げもできない「債務の罠」に陥っているようです。

「『低金利長期化の罠』に陥っていると言えるかもしれません。どう呼ぶにせよ、中央銀行の手は縛られています。かつて1970～80年代、米連邦準備制度理事会（FRB）のボルカー議長が利上げを進めることができたのは、当時は家計や政府の債務が多くなかったからです。しかし、（債務が膨張した）いまはそんなことをすれば、金融システムの安定性を揺さぶることになります。『不平等な危機』に対処するための中央銀行の選択肢は限られています。だから、私は財政政策の重要性を強調しているのです」

――空前の財政金融政策の影響もあり、世界は今後、インフレになるとの見方も出ています。

「コロナ禍で世界の経済需要は落ち込んでいます。当面、主要国でインフレが始まるとは見ていません。ただ、コロナ禍が製品やサービスの供給面に及ぼす影響は非常に見通しづらい。供給面でマイナスの影響が続いた場合、（製品やサービスが滞って）インフレの圧力が強まる可能性はあります」

「インフレが怖いのは国家債務を実質的に減らす一方、貧富の格差を広げるマイナス効果がある点です。資産を持つ富裕層はインフレのリスクに備えられますが、賃金収入しかない貧困層は無理です。インフレは、逆進的な税金と同じ効果をもたらすのです」

——歴史家のウォルター・シャイデルは人類史上、深刻な格差は戦争、国家の崩壊、革命、疫病のいずれかで是正されたと述べています。コロナ禍が拡大させた格差を是正するにはどうすればよいのでしょうか。

「第2次世界大戦直後は今よりも平等な所得分配がもたらされました。だからといって、格差を是正するために再び世界大戦を望む人がいるでしょうか。それよりは望ましい政策決定を積み重ねていくべきで、ほかに選択肢はありません。世界銀行も取り組んできたことですが、社会のセーフティーネットを支え、幅広い層に成長の恵みをもたらす政策を優先的に進める。『言うは易く、行うは難し』かもしれませんが、世界経済の復興を少しでも早めて、分配するパイを大きくしなければなりません」

——日本を含め、国際社会の協調が求められますね。

「コロナ禍によって、もともと貧しいアンゴラのような国で、1人当たりの国民所得が急激に下がっています。最貧国の債務負担を和らげるため、日本も含む債権国が救済措置を話し合う主要20カ国・地域（G20）などの枠組みが重要な役割を果たしてきました。貧しい国々がどのように重い債務を処理し、この危機を乗り切ることができるのか。その支援に向け、日本もカギを握る国の一つです」

（2021年2月7日配信、聞き手・青山直篤）

インタビュー

Klaus Schwab

クラウス・シュワブ

世界経済フォーラム会長

世界が学ぶべき低成長でも「幸福」な日本の経済社会

グローバル経済にパンデミックという逆風が吹き付けている。株主だけでなく、従業員や顧客、地域などの利害関係者にも配慮した「ステークホルダー資本主義」の可能性とは。

1938年ドイツ生まれ。71年に世界経済フォーラム設立。72年に最年少でジュネーブ大学の教授に就任。「経営者の責任はステークホルダーの利害の調和」とする宣言を73年にまとめた。「ダボス会議」生みの親。

主犯は株主資本主義なのか

――気候危機や格差拡大など、世界はコロナ危機前から重い課題を抱えていました。株主資本主義の隆盛は、これらの問題の「主犯」なのでしょうか。

「要因の一つであることは間違いありません。ただ、忘れてはならないことがあります。コロナ危機前の経済システムは、とりわけ2008年の金融危機前、様々な恩恵をも世界にもたらしたということです。たとえば絶対的貧困の減少。私がWEF（世界経済フォーラム）を設立した1971年に約40億人だった世界の人口は、いま80億人に迫ります。にもかかわらず絶対的貧困の中に置かれた人の数は減り、寿命なども改善しました」

「しかし便益をもたらしたシステムであっても、古くなれば新たな現実に合わせて作りかえる必要があります。株主だけでなく社会に配慮した経済のあり方を、どう再定義するかが問われています」

――コロナ危機で企業は余力を失いました。ステークホルダー（利害関係者）重視への転換も難しくなったのでは。

「そうは思いません。元からステークホルダー重視にかじを切っていた企業ほど、今回の危機への備えがかなりうまくいきました。（自社株買いなどで）株主にだけお金をはき出すのではなく、将来に投資してきたおかげです。株主以外のステークホルダー、とりわけ従業員と顧客をないがしろにすれば、企業の最大の資産である信頼を損ないます。ステークホルダー資本主義は強靱(きょうじん)で魅力的な企業をつくり、なにより長期的な利益を生み出します」

――企業の顧客として存在感を増す若い世代ほど、「今の形の資本主義」への反発が強まっています。

「ミレニアル（1980年代前半～90年代後半生まれ）やジェネレーションZ（90年代後半～2000年代前半生まれ）と呼ばれる世代ですね。自然を壊したり、社会に対して責任ある振る舞いができなかったりする企業を、彼らは好きにはなりません。企業に短期的思考を強いる株主資本主義と、長期的に考えることが必要なステークホルダー資本主義。長い目でみてどちらが成功するか、明らかでは」

世界が日本に学ぶべきは

――いまも大規模な人員削減が進んでいます。少なくとも短期的には、株主とほかのステークホルダーの利益はぶつかります。

「株主に報いつづける一方で、社会やほかのステークホルダーへのコストを維持するバランスをどうとるかが大事です。この点で、日本はとても良い例です。多くの企業は大変なプレッシャーにさらされるなか、（法的には）人員削減が許されていたとしても、従業員を将来のために抱えておこうとするからです」

――確かに日本はステークホルダー資本主義に親和性があります。とはいえ、長く停滞が続いたせいで、「日本化」は世界の当局者にとって避けるべき事態とみなされています。

「世界が日本に学ぶべきは、いったん実現した高い生活水準を維持していくのは可能だということです。国内総生産（GDP）などの物差しだけではは かれません。確かに日本の経済指標は低迷してきましたが、高齢化への対処やジェンダー平等が進んだことなど、幸福という意味では明らかに前進がみられます」

「純粋に経済だけをみても、物価が上がらなかったことを考えれば、1人あたりの実質所得はそれほど減っておらず、むしろ安定している。今後は欧州や、中国など新興国も高齢化に直面しますが、それに先立つ日本の例は、GDPが伸びなくても社会をより幸福にできることを示しています」

——株主資本主義の総本山ともいえる米国で、大企業経営者でつくる団体「ビジネス・ラウンドテーブル」が昨年（2019年）、ステークホルダー重視への転換を宣言しました。

「今必要なのは、その約束を実際の行動に移すことです。そのためには、ステークホルダー資本主義なりの基準によって、企業の業績が評価されなければなりません」

——株主資本主義には利益、そして株価といった明確な基準があります。ステークホルダー資本主義の評価軸とは。

「いわゆるＥＳＧ（環境、社会、ガバナンス）による評価です。金融規制がそうであるように、グローバルに受け入れられる基準を我々の特別チームが開発中です。企業がしたことを定期的に評価できる基準がなければ、議論だけが先走りすることになりかねません」

株主資本主義を体現する参加者もいるが

――あなたがステークホルダー尊重を打ち出したのは半世紀も前です。

「単純な観察に基づくものでした。企業はただの経済単位ではなく、社会に埋め込まれた有機体、つまりは社会の細胞のようなものです。ならば経済的な義務を負うだけでなく、社会的な責任も有しているはずです」

「これについて私が初めて本を書いていた70年（出版は71年）当時、ステークホルダー資本主義は多くの企業が実践していました。72年に日本を訪れて多くの経営者に会い、このテーマでスピーチもしましたが、大変好意的に受け入れられました。腹に落ちたのでしょう」

――まさにそのころ米経済学者ミルトン・フリードマンに代表される新自由主義が勃興しました。

「米誌ニューヨーク・タイムズ・マガジンに彼が『フリードマン・ドクトリン（教義）』と呼ばれる有名な論説を書いたのも70年でした。ビジネス（企業）のビジネス（仕事）はビジネス（お金もうけ）。これが彼の立場です。企業は利益を稼ぐのに集中し、社会的な問題に対処すべきはもっぱら政府だと。その考え方が株主資本主義を正当化しました。私の50年間はフリードマンと、彼のドクトリンとの戦いでした」

――ダボス会議には各国首脳のほか世界的企業の最高経営責任者（CEO）が集結し、メッセージを発します。新自由主義や株主資本主義をむしろ推し進めてきた面もあるのでは。

「（ダボス会議は）異なった見方を表明し、対話を重ねるプラットフォームに過ぎません。確かに、株主資本主義を体現するような参加者もいました。しかし、環境や社会、開発、教育と会議のプログラムは常にステークホルダー重視を推し進める意志に満ちていました。参加者とアジェンダ（議題）は区別して考えるべきです」

身を切らないCEOたち

——今年1月のダボス会議を現地で取材し、一つ気になりました。CEOたちはみなステークホルダー重視に賛意を示しますが、巨額報酬の見直しや富裕税など、自ら身を切るような議論はあまり聞こえてきませんでした。都合が良すぎませんか？

「極端なほど高額な経営者の報酬パッケージは、たいてい企業の短期的な利益とひもづけられています。経営のバランスが株主寄りになる要因でもあり、私は長い間、彼らの巨額報酬を批判してきました」

——業績に連動する巨額報酬は、企業に利益をもたらした特別な能力に対する見返り、との考え方が米国では根強いです。

「私が手術を受けるとして、執刀医がこう言ったらどうでしょう。『あなたの将来は私の腕にかかっているのだから、あなたの今後の収入の5％を報酬として私にくれる場合に限り、最善を尽くします』。だれもが非倫理的で許せないと言いますよね」

「今の経営者もこれと同じです。『給料に加え、利益の分け前をくれればベストを尽くします』と言っているようなもの。それなのに非倫理的とはみなされていません。経営者という職業に、本来のプロフェッショナリズムを取り戻さなければ。自らの資本をリスクにさらす株主とは、明確に区別されるべきです」

――あれだけ経済に深刻な打撃を与えたリーマン・ショックの後も、株主資本主義はしぶとく生き残りました。「今回は違う」と言えるでしょうか。

「むしろ90年前の大恐慌と、それに続く米ニューディール政策が参考になります。甚大な危機を克服する過程で、新しい社会契約の形を模索する。まさにグレート・リセットの考え方です。今もっとも切迫した課題の一つは温暖化です。まだ行動すれば変えられますが、時間はあまり残されていません」

（2020年10月1日配信、聞き手・江渕崇）

グレン・ワイル

政治経済学者

民主主義と国際市場の柔軟性を統合した新たなメカニズムを

パンデミックにより、権力の集中は以前にも増して深刻になった。政治も経済もごく少数が支配するこの世界は、ラディカルな変革を必要としているという。どういうことか。

1985年米サンフランシスコ生まれ。米マイクロソフトの最高技術責任者室に所属する政治経済学者・社会工学者。米プリンストン大を首席で卒業後、米シカゴ大などで教鞭をとった。著書に『ラディカル・マーケット』（共著）など。

参加型のデジタル民主主義が重要

——富と権力の集中を脱しようと、「私有財産を廃して共有とし、その利用権をオークションにかける」といった斬新な提案を重ねてきました。パンデミックのさなかに、「ラディカルに市場をデザインする」という思考態度はどこまで有効でしょうか。

「コロナ対策に成功したのは、そうした考え方を世界で最も深く実践してきた国や地域でした。その一つは台湾です。マスクを配ったり感染者を追跡したりするアプリ開発などに役立てられ、犠牲者も経済への打撃も最小限に食い止めることができました」

「対策を率いたデジタル担当閣僚の唐鳳（オードリー・タン）氏は、私が創設した団体『ラディカル・エクスチェンジ』の理事を務めています。台湾の例で最も大事なのは、参加型のデジタル民主主義を希求する人々のエートス（気風、習性）です。それが、市民社会からボトムアップで生まれた技術への信頼につながり、対策に正当性を与えました」

——ほかの成功例は？

「（電子政府をいち早く確立したことで知られる）エストニアです。台湾や日本と違ってSARS（重症急性呼吸器症候群）の経験がなかったため、ほかの欧州各国と同じようにいったん事態は悪化しました。しかし、台湾にならった対策を次々に共有し、結果的に欧州では最もうまく対応できました」

「トランプ氏が問題なのではない」

——感染者や死者が世界最多で、経済の落ち込みも激しい米国は明らかな失敗例です。トランプ政権は何を根本的に誤ったのでしょうか。

「私は、トランプ氏や政権がもっぱら責められるべきだとは思いません。政権に主たる責任があるとすら考えません。多くの過ちは官僚組織、あえてトランプ氏の言葉を借りれば『ディープステート』（影の政府・政府内政府）によってなされたものだからです。彼らは一貫して公衆をミスリードし、政治リーダーたちの意思決定を混乱させました」

「民主党がしばしば称賛するＣＤＣ（疾病対策センター）ですが、最初はマスク着用を勧めませんでした。どれだけの規模の検査が必要かも大統領に知らせなかった。検査と感染者追跡、隔離の態勢を拡充しなければ、ロックダウンが何度も必要になってしまうとも明らかにしませんでした」

――とは言っても、パンデミックを軽視するトランプ氏の姿勢はひどいものでしたよ。

「もちろん、トランプ氏も責任を逃れ、問題を政治化し、自らの政治的立場を優位にするためにいつものように分断の種をまきました。しかし米国で私たちが抱える根本的な問題はトランプ大統領という人物ではなく、差異を超えて互いに正直に話し合うことを妨げている深い分断そのものです」

「それゆえＣＤＣの不誠実さが問題なのです。彼らは政治リーダーも公衆も信頼せず、あげくに自らも不信を突きつけられました。どの側も過ちを犯したことを認めて初めて、私たちは次に進めます」

株価は最高値、雇用悪化をよそに

——先進国では以前から低成長（スタグネーション）と格差拡大（インネクオリティー）が同時に進む困難を抱えていました。あなたが「スタグネクオリティー」と呼ぶ問題です。コロナ禍で、これらはさらに顕著になりました。

「作家アーネスト・ヘミングウェイはかつて、破産をこう表現しました。たいていは徐々に、そして突然やってくる、と。グローバル化した資本主義に、まさにいま起きていることです」

「欧米型の政治経済システムに対する、とくに若い世代の信頼はずっと低下し続けてきました。それがコロナ禍により、完全に崩れ去りました。最近の世論調査によれば、米国人の75%は、今の形の資本主義が普通の人々のためになっているとは信じていません」

——米国では何千万もの雇用が消え去った一方、限られたプレーヤーによる市場の独占がいっそう進みました。

「世界恐慌以来の雇用危機が襲う中でも、株価は最高値をつけ続ける。この間、人種や地域の分断をめぐる社会不安が高まり、ときに暴動に発展したことに、なんの不思議もありません。社会システムを根本から考え直さないと、事態は悪くなるばかりです」

「最もありうる対案は、中国共産党のような技術主義的な権威主義体制です。欧米向けに、シリコンバレー風のアルゴリズム（コンピュータープログラムの計算手順）による支配に形を変えるでしょうけれど。しかし、私たちはもっと人間的で多元的な選択肢を用意できるはずだし、そうすべきです。最も大事にする価値を守りたいと願うならば」

欠けていた専門家の相互理解

――パンデミックの打撃を和らげようと、米政府は前代未聞の規模の財政支出に踏み切りました。失業保険の大幅拡充など、左派が主張してきた政策も次々に実現しました。

「世界中の政府と中央銀行による経済危機への対処は、ある面では非常に目を見張るものがあり、迅速でもありました。と同時に、左派が好むものを含めた伝統的な政策手段がいかに使い物にならないかも、これまで以上に白日の下にさらされました」

「財政政策と金融政策による大がかりな刺激策は、パンデミックの中核的な問題に対処できませんでした。検査・追跡・隔離。マスクの着用。感染を防ぐための公共空間の組み替え。こうした対策を通じて疫病をコントロールすることに失敗したのです」

——そもそも経済対策それ自体は、感染防止を目的としていません。経済が崩壊しないよう伝統的な手段で支えつつ、同時に着実に防疫対策を進めるのが常識的な道では。

「米国の場合、経済の専門家たちは、パンデミックが甚大な打撃をもたらすとの前提で対策づくりをしました。一方で、公衆衛生の当局者たちは、政権や財政当局から大した支援は受けられないという前提に立ち、できる範囲の防疫策に集中しました。結果的に、それらの前提がともに現実のものになってしまいました」

「本来は疫病を抑え込むのに必要な手段を十分確保できるよう、経済資源の振り向け方を根本的に見直すべきでした。しかし、双方の専門家たちは、互いに意思疎通・調整するのに失敗したのです」

——その点は国による違いも大きいですね。

「疫病対策を着実に実行できたところは、大規模な刺激策を打つこともなく経済を回復させ、多くの命を守りました。失敗した国は、疫病への対応に必要な額をはるかに上回る桁違いの支出に踏み切ったにもかかわらず、経済も命も守れませんでした。その代わり、株式相場をつり上げ、金持ちに富を再分配してしまいました」

機械は人を無価値にするのか

——多くの国で家計に直接現金が配られたことで、全員に一定のお金を渡すベーシックインカム(BI)が、ごく部分的ながら実現したとも言えます。

「コロナ禍は、デジタル経済の将来像を映し出す『試写』のようなものです。BI導入が社会に何をもたらすのかを、今回の刺激策の結果が示しているとしたらどうでしょう。BＩなどテクノロジー界隈（かいわい）の人々が盛んに提唱するような将来像は、非常に恐れるべきものです。人々が生きるのに必要とする公共財を、もっと効率的に行き届かせる道を見いだす必要があります」

――人工知能（AI）や自動化の進展とBIは強く関連づけられてきました。BIの必要性を説く声は、コロナ禍でむしろ強まっているように思えます。

「政策手段の一つとして、今までのように時折使われることに反対はしません。しかし、BＩをめぐる議論全体が根本的に誤っており、混乱しています」

――どういうことでしょう。

「まず、『機械が人の仕事を奪う』という議論について。多くの人々の経済や社会への貢献を無視または軽視する方向に、デジタル経済を仕向けてしまっているのは我々なのです。人々が経済的に無価値になるのが避けられないという議論は、これを補強するばかり。BＩをめぐる言説は、問題への合理的な対処ではなく、（根拠のない予言でも、人々がそれに従って行動することで予言が実現する）『予言の自己成就』に陥っています」

「人々が『自由に』お金を使えるよう『直接』配るという基本アイデアが、そもそも幻想です。人々はお金を直接消費しているのではなく、そのお金で買えるサービスやモノをこそ直接必要とし、消費しています。北欧では、現金配布ではなく必要な財やサービスを地域で行き渡らせることにより、市場の不安定さに脅かされることなく、自由に生きるすべを人々に与えている。ＢＩは極めて無知な議論だと思います」

――人々に力を取り戻す契機にはならないと。

「『完璧な市場経済』というファンタジーの中なら別ですが、そうでなければ、独占企業が人々を搾取し経済を牛耳っているという、根本的な問題への対処にはなり得ません。ＢＩが独占企業への課税に頼るとすると、彼らの効率性をさらに低下させ、事態はますます悪化するでしょう」

――ポストコロナの資本主義と民主主義について、どう考えますか。

「私たちが必要とするものを得るには、人々が個別に行動すればそれでよく、通常の市場プロセスによってのみ調整される。これまで資本主義はそんな前提に基づいていました。しかしコロナ禍は、高度な資本主義が機能するには、もっと多様で複雑な形の集合的な行為が必要であることを示しました。この危機を乗り越えるために、私たちがもし開かれた社会と市場を欲し続けるのならば、独占企業ではなく民主的なメカニズムを通じて必要なものが供給されるよう、制度の根本的な再考が必要です」

「何十年あるいは何世紀も国境や選挙民が変わらない国民国家の枠組みは、いま私たちが直面する問題に対処するには硬直的に過ぎます。コロナ禍での貿易と旅行の崩壊を見て下さい。国民国家における民主主義と、国際市場の柔軟性とを統合した、新たなメカニズムを見つけ出さなければなりません。さもなければ近い将来、私たちの未来を中央から計画しようとする勢力に、敗北を喫することになるでしょう」

（2020年9月1日配信、聞き手・江渕崇）

第4章

生きること、死ぬこと

インタビュー

瀬戸内寂聴

Jakucho Setouchi

小説家・僧侶

コロナ禍の孤独や苦しみは「永遠には続かない」

戦争の昭和、災害の平成を生き抜き、令和のいまは京都の寂庵(じゃくあん)にこもり、「孤独も苦しみも、永遠には続きませんよ」と語る。生きるということは、どういうことなのか――。

せとうち・じゃくちょう／1922年生まれ。小説家、僧侶(天台宗権大僧正)。女流文学賞、谷崎潤一郎賞、野間文芸賞、泉鏡花文学賞など数多くの文学賞を受賞。2006年、文化勲章を受章。著書に『寂聴　残された日々』など多数。

自分一人がつらいわけじゃない

——朝日新聞連載エッセーをまとめた『寂聴　残された日々』に〈百年近く生きた最晩年のこの年になって、戦争時に負けないような、不気味な歳月を迎えてしまった〉と書いています。

「あの戦争のような凶運は、生涯に二度とあるまいと思っていましたから。まさか、数え100歳をこんな風に迎えるとは想像もしませんでしたね」

——感染拡大防止のため、〈法話も写経も、寂庵の行事は、すべて休み／木の扉を叩いて訪れる人もなくなった〉と。

「寂庵のお堂には150人、無理をすれば200人入りますけれど、密も密。いまは仕方ありません」

「法話といっても、私の場合は悩みのある人をなぐさめるだけ。『妻を亡くしてさみしい』と打ち明ける人がいれば、周りで聞いている人たちが救われます。自分一人がつらいわけじゃない。そう感じるだけで救われるんですね」

――〈集ってくれる人は／逢えてよかったと涙ぐんでくれる／まだ生きていてよかったのかなと、私は少しばかり心が軽くなる〉。訪れる人がいなくなり、さみしくありませんか。

「いくら人が来てくれても、おさい銭だけですから、お金の得になりはしません。でも、明るい顔になって帰って行く姿を見るのがうれしい。それが会えなくなるのはつらい。いまはとってもさみしい」

「すべてのものは移り変わる」

――〈家にこもり、他者と逢わない生活が、どれほど心身に悪影響を与えるか〉。コロナ禍で孤独に苦しむ人は多いようです。

「生きるとは、さみしさをなぐさめ合うことです。恋愛だって、そうじゃありませんか。お互いに孤独だからこそ、なぐさめてほしくて愛し合う。『にんべん』に『憂』と書いて、『優しい』でしょ。人の憂いをなぐさめるのが優しさ。人は優しさに弱いのよ」

——〈私が出家したのは、一九七三（昭和四十八）年／天台宗の尼僧として生まれ変わった〉。51歳で出家するまで、苦しい恋愛もあったのでは。

「30代の頃、一緒に暮らした男との関係がこじれ、ノイローゼになって自殺未遂をしました。本当にばかなことをしたものです。物が握れなくなって、外出先でハンドバッグをぽろぽろ落としてばかり。見かねた友人が精神科医のところに連れて行ってくれて。いい先生で、ただ話を聞いてくれて、髪形でも着ているセーターでも何かほめてくれる。それで、だんだんよくなりました」

——〈恋は理性の外のもので、突然、雷のように天から降ってくる。雷を避けることはできない〉。とはいえ大変な経験でしたね。

「いまとなっては『あら、どんな男だったか忘れたわ』くらいなものですよ。どんなに熱い恋愛だって、その気持ちは5年も続きやしません。それと同じで、いまコロナでどんなに孤独で苦しくても、その苦しみは永遠には続きませんよ。『すべてのものは移り変わる』というのが、お釈迦さまの教えです」

――〈ものを書くだけで食べてきて／書く仕事だけを生き甲斐にしている〉。数え100歳を迎えるいまも、新聞や週刊誌、文芸誌に五つの連載を持っています。

「作家は昔の作品より、いま書いた1行をほめてほしいもの。生きているうちは、自分を燃やしていないと。小説は別の世界に行かないと書けませんから、体力がいります。そのために毎晩、好きなお肉と少しのお酒を欠かしません。来年の目標？ 遺書を早く書かないといけないのだけど、気持ちはまだ70歳くらいですからね」

（2020年12月31日配信、聞き手・上原佳久）

阿川佐和子

作家・エッセイスト

会えなくても
距離があっても
見送ることはできる

「生きる」ことが最優先される中、みとりや葬儀は「不要不急」なのか。直接会って、触れられなくても人はつながることができるのか。2020年に母を見送り感じたこととは——。

あがわ・さわこ／1953年生まれ。99年、『ああ言えばこう食う』（共著）で第15回講談社エッセイ賞、2008年、『婚約のあとで』で島清恋愛文学賞、14年、第62回菊池寛賞などを受賞。

母を見送って

実際に会えなくても、距離があっても、できることはある。母の死を通じ、私はそう実感しました。

母は2020年5月に他界しました。2月ごろから弱っていきましたが、感染対策で面会できない日々が続いていました。病院との電話のやりとりで様子を聞いてはいましたが、直接母の顔を見られないので、どうも不安になってしまう。

そんな折、ロサンゼルスに住んでいる上の弟が「オンラインで病室の母とつながろう」と提案してきたんです。弟にとっては、病室どころか、日本に来ることも不可能な状況でした。前例がなかったのですが、病院も「やってみよう」と検討してくださり、LINEのビデオ通話機能で2人の弟と母と私と同時にリモート面会をすることができたのです。

動いている母を見ることは、様子を聞くだけとは全く違いました。ああ、生きてるんだなぁ。うれしかった！　反応は鈍いけれど、「母さ〜ん」と呼びかけることもできる。ものすごく安心感がありました。

最期には、実際に病室で立ち会うことができました。危篤状態になってから息を引き取るまでの7時間ほど、母の病室で過ごしました。だんだんと呼吸が遠くなっていき、「これで終わりかな？」と思ったら、また一つ呼吸をする。そんなことが何回か繰り返されたあと、最後のひと息まで見届けることができました。そして、落ち着いた気持ちで「とうとう逝っちゃったんだ」と感じました。

泣かなかった理由

母のことが好きだったので、亡くなる時は泣いてしまうだろうと想像していたのに、そうではなかった。なんでだろう、と考えると、父の死を思い出します。同じ病院で5年前に亡くなった父の臨終には間に合わなかった。ショックで、泣きました。母の死はもっと悲しいだろうと予想していたのに冷静でいられたのは、時間をかけて母の死を受け入れることができたからだと思います。

葬儀にも同じような面があると思います。若い時は、葬式というものはどうも辛気くさいイメージがあって、行きたくなかった。でも、友人の親御さんが亡くなった時、参列した式で旧友に再会したら、たちまち同窓会状態の騒ぎ。みんなで喪服を着て大笑い。その時、亡くなった人が集めてくれたんだな、と気づいたんです。普段は忙しくて会おうとしない私たちを、集めてくれた。そうやって集まることによって、遺族も悲しみを紛らわすことができるのではないでしょうか。

母の葬儀は身内だけのこぢんまりしたものでしたが、寺の本堂にパソコンを持ち込み、ロスの弟もリモートで参加しました。ロスの自宅で喪服を着て、出棺まで見送ることができた。そうすることができたおかげで、離れている弟一家も母の死を納得できたのではないでしょうか。

実際に会うことは「唯一の条件」ではない

みとりも葬儀も、見送る側が納得し、その死を受け入れる大切な時間であると考えると、決して「不要不急」ではないと思います。

新型コロナで容体が急変して亡くなり、骨になって対面するご家族は、どんなにつらかったことでしょう。死を見守ることも、ご遺体にふれることも許されなかったのですから。これまでは津波で遺体が見つからず、ずっと探しているご家族のニュースを見ると、心のどこかで「こんな広い海じゃムリだよ」と思っていたけれど、自分が納得できない気持ちに終止符を打つためには、とても大切なんだと、いま分かります。

対談の仕事にも、昨年はオンラインが採り入れられました。「逆によくなった」とまでは思わないけれど、コロナのおかげで、今までなら諦めていた遠方の人とも話せた。「あうんの呼吸」は難しいし、生で会ったほうがよかった人もいます。でも、実際に会うことが「唯一の条件」ではない。他にも手立てがあるということ、とりあえず挑戦してみようということを、このコロナ禍で学んだ気がします。

（2021年1月4日配信、聞き手・田中聡子）

インタビュー

Kunio Yanagida

柳田邦男

作家

「さよならなき別れ」現代における死と死者の尊厳への問い

年間150万人以上が死ぬと予測される「多死社会」を前に、日本は新型コロナという予期せぬ災禍にも襲われた。私たちはいま、死の意味が変わりつつある時代にいるのだろうか。

やなぎだ・くにお／1936年生まれ。NHK記者を経てフリーに。災害・事故、医療、原発などの問題を取材。95年『犠牲─わが息子・脳死の11日』で菊池寛賞受賞。著書に『悲しみとともにどう生きるか』（共著）など多数。

あいまいな喪失感を抱えて葛藤に苦しむ

――月刊誌に発表したルポで、新型コロナによる死を「さよならのない死」と意味づけました。

「コロナでは、入院した患者が家族と一度も会えないまま、亡くなった例が多くありました。『さよなら』を言えなかった死別は、残された家族の心に複雑なトラウマを生じさせることがあります。そんな問題意識を持ちつつ、コロナ患者を受け入れた病院関係者を中心に取材を始めました」

――志村けんさんも発症から約2週間で亡くなりました。みとれなかった肉親は遺骨の入った箱でやっと再会できた、と。

「志村さんの死は衝撃的で、コロナ死の特異性を痛感しました。入院後、すぐ重症化し死に至るという点では突然死に近く、災害や事故、事件で突然、身近な人間を失ってしまう死別に近いです。米国のミネソタ大学のポーリン・ボス名誉教授の言う『あいまいな喪失』（ambiguous loss）に該当します。生きているか死んでいるかわからない別れという意味です。みとれずに遺骨だけが戻っても、家族はあいまいな喪失感を抱えたまま、葛藤に苦しむことがあります」

——感染が急拡大した春先は、病院が患者の家族のケアをする余力がなかったのでは。

「それでも、急きょタブレット端末を40台購入した聖路加国際病院（東京都中央区）や、屋外のプレハブ面会小屋で患者と家族を機器でつなげた聖マリアンナ医科大学病院（神奈川県川崎市）、感染症専門病棟でiＰａｄを使える体制を整えていた国立国際医療研究センター（東京都新宿区）などでは、患者と家族がオンラインで意思疎通することができました。画面越しに表情も見えるし、言葉をかけられる。双方に心の支えにはなりました。ただ、医師も『次善の策』と言っています」

——タブレットやiＰａｄでは、対面と違いますか。

「本質的に違います。その場で手を握り、体をさすり、耳元で声をかける。ぬくもりが言わば『心の血流』となって伝わります」

――画面越しでは、会話ができたとしても不十分でしょうか。

「夫婦や親子の会話は、断片的な言葉だけでも思いが伝わっています。論理的で文脈のある言葉を介するのはコミュニケーションの20％程度という説もあるのです。それ以外の、生身の触れ合いや表情、肉声で伝わる微妙な感情や愛や思いは画面越しでは難しい」

――相手が昏睡（こんすい）状態のみとりでも、伝わるものがありますか。

「人間は聴覚が最後まで残るとされます。全身麻酔を受けた患者の10％程度は、昏睡状態でも、その間に交わされたベッド脇の会話を記憶している、という論文が医学専門誌に発表されています。昏睡状態で亡くなる相手にも、手を握り、耳元で『いつでも一緒にいるから安心してね』と言うことで、『共存性』ともいうべき安心感が伝わると思います」

医学的な命とは別に、心の営みが不可欠

――「共存性」で思い出すのは、柳田さんの作品『犠牲（サクリファイス）』です。脳死になった次男

洋二郎さんと11日間、病室で時間を過ごしながら、気持ちを通わせる様子が描かれています。

「27年前です。25歳の息子が脳死状態になって死亡診断が下るまで11日間ありました。表情の変化は全くなく、人工呼吸器の力で生きている。医学的な見方では『死』になるのです。ただ私たち親子には、共有した人生の数限りない記憶があります。ベッドの息子を医学的には『死者』だと、割り切れるものではありません。2人で無言の会話をしていました」

——脳死状態でも、それは「会話」と感じ取られたのですね。

「息子は『おやじは作家だと言うなら、人の心の苦しみがわかっているのか』などと際限なく語りかけてきました。科学的には妄想と片付けられるでしょうね。でも、だから意味がないわけではないし、人間の生死や生きる力は、医学や科学の実証主義でつかみきれるものではありません」

——事実を丹念に積み上げ、事件や事故の全体像を浮かび上がらせる。そうした柳田さんの事実に対する姿勢がこの出来事を契機に変わっていったのでしょうか。

「私はノンフィクション作家として事実にこだわり続け、『事実の時代に』や『事実の読み方』などの作品も書きました。事件や事故取材で、実証主義に基づき証拠を積み上げ、全体の構造をつかんで問題点を指摘する。そこで重要なのは根拠となる事実です。ただ、早くから『事実と事実主義は違う』とも書いてきました。科学と科学主義も違う。とりわけ人間の命や心に関しては、証拠で実証しなければ真実ではないとする事実主義や科学主義の外に、重要な真実があると思います」

——どういうことでしょうか。

「コロナ患者を受け入れた病院が感染防止だけを考えるなら、患者と会いたい家族は邪魔になる。科学主義を突き詰めればそれが結論です。でもたとえ重症化した人でも、ウイルスと治療の拮抗(きっこう)関係の中にだけ生命があるわけではない。医学的な命とは別に、家族や恋人など人間関係による心の営みが生きる上で不可欠です。それは証明が必要な話ではありません」

「人は死ねばゴミ」という戦後遺産

――戦後ずっと「死は無意味である」という考え方が、支配的だったように思えます。「時代傾向ですね。１９８８年に元検事総長が書いた『人は死ねばゴミになる』という本が出版され、ずいぶん読まれました。この題は象徴的で、私には一つの戦後遺産のように思えました」

――「戦後遺産」ですか。

「日本は戦後、工業生産力と科学技術の米国との圧倒的な差で戦争に負けたと認識し、科学技術への信仰が生まれました。次第に魂や精神性は軽んじられ、『人は死ねばゴミ同然』といった時代思潮が支配的になったのです。しかし、80年代になると、医療の中で、生と死を二元論的に分けず、死を生の中でとらえなおす『死の臨床』という取り組みが広がり始めました。死にゆく人と残された家族の双方にとって何が大切なのか、という観点が重視されるようになったのです」

――「死の臨床」の考え方は現在の医療に、どんな形で反映されているのでしょうか。

「95年の阪神・淡路大震災では、救急隊が死傷者を区別なく病院に搬送した結果、重傷者が後回しになる事態が起きました。この反省から搬送に優先順位をつける『トリアージ』が導入され、2005年のJR福知山線脱線転覆事故では救える重傷者を優先した。ところが死亡を示す黒タグをつけられて安置所に運ばれた犠牲者の肉親が、何の治療も施されなかった無念でトラウマになった事例が報告され、その後、死者の遺族のケアにあたる『災害死亡者家族支援チーム』(DMORT)が発足しました。医療が『死ねばゴミ同然』で生のみを対象にするならば、扱わない問題でしょう」

「相手を思い返す自分の中に亡き人は生きている」

――テクノロジーの急激な進歩が死の意味を変えないでしょうか。死者をVR(仮想現実)でよみがえらせて「再会」させる技術が進んでいると聞きます。

「それは『再会』とは違う。津波で子供が行方不明になった親が、海岸でよく子供の幻影を見ました。『幽霊を見ました』と本人は言いますが、そうして現れる行方不明者の幻影を見る方が、テクノロジーで作り上げた精巧な映像よりも『再会』に近いと思います。詩人の長田弘(おさだひろし)さんは詩集『記憶のつくり方』の中で、「記憶は、過去のものでない。(中略)むしろ過ぎ去らなかったもののことだ」と書いています。相手を思い返す現在の自分の中に、亡き人は生きているのです」

――たとえ技術的な映像だとしてももう一度会いたい、という気持ちを持つ人もいるのでは。

「僭越(せんえつ)なので人の気持ちまで論評したくはありません。映画『鬼滅の刃』は見ましたか」

――はい、見ました。

「あの映画では、何度か登場人物の亡くなったお母さんの幻影が現れ、語りかけてきます。単なる回想場面とは違い、生々しく目の前に現れて話をするのですね。私の瞼(まぶた)の裏にもいまも亡き息子が出てきます。人工的につくった仮想現実とは違います」

――ぶしつけな質問をさせてください。テクノロジーが人工的な洋二郎さんを完璧に再現しても、「再会」に興味はありませんか。

「気持ち悪いですね。亡き人をいくら精巧に造形しても、ロボットはロボット、モノでしかない。愛する人と共有した人生の一コマ一コマ、そして愛する人の存在感は、心の中に、あるいは全身に染み渡って存在し続けていて、自分の人生を支えてくれるのです。ただ、仮想現実と現実が区別できない時代がいずれ来るかもしれない。小学校4年生の孫はうちに来ると、スマホを使って30分で短編小説を書いてしまう。文脈に乱れがなく、落ちもあって面白いんです。机で原稿用紙に向かう私とは機器との関係性が全然違う。テクノロジーが人間の五感を変える時代がやって来て、死の受け止め方まで変えてしまうかもしれません。しかし、科学技術がどんなに進んでも、私のそういう生命観、死生観は変わりません。長田弘さんも、奥様を亡くされた後に詠んだ詩『花を持って、会いにゆく』で私と同じ死生観を実に美しい言葉で詠っています」

（２０２０年12月2日配信、聞き手・中島鉄郎）

インタビュー

筒井康隆

Yasutaka Tsutsui

小説家

「死を忘れるな」小説に込めた思いとは――

著書『ジャックポット』ではコロナによる大勢の死、そして一人息子の死を描く。「メメント・モリ（死を忘れるな）」のメッセージがこもる私小説とも読める短編集について聞いた。

つつい・やすたか／1934年生まれ。60年、SF同人誌『NULL』を創刊。02年、紫綬褒章受章。10年、菊池寛賞受賞。17年、『モナドの領域』で毎日芸術賞を受賞。著書に『聖痕』『世界はゴ冗談』『ジャックポット』など多数。

死は記号に過ぎない

――コロナ禍の狂騒を描いた表題作「ジャックポット」をはじめ、洒落(しゃれ)や地口(じぐち)が疾走感のあるリズムを生み出していて、「言葉による音楽」のようです。作中でシュルレアリスム(超現実主義)の執筆手法「自動書記」にも言及していますが、実際にそのような前衛的な手法も取り入れたのでしょうか?

「自動書記は大学時代に芸術思潮という講義で教わって以来の私の手法のひとつです。いろいろなやり方がありますが、そのくだりを最も面白くする方法でやっています。洒落、地口もそうです」

――なぜ洒落や地口を縦横に駆使した文体になったのか、その創作作法を教えてください。

「これはそれまでのリアリズムではかったるくなってきて、一挙に同じ効果をあげようとした結果こうなりました。あと、任意に辞書を開いて指先で押さえた字からの連想、という手などもあります」

――死をめぐる筒井さんの個人史をつづった収録作「ダークナイト・ミッドナイト」に、ＳＦ作家の星新一から〈筒井君は死をどう思うか〉と問われたエピソードがあります。〈死なんてものは記号に過ぎません〉と答えたそうですが、実際にあったやり取りでしょうか？

「これは実話です。亡くなった作家ですから信用されないかも知れませんが、たしか彼の生前にもどこかに書いている筈です」

――同作には〈（作家の死後に）残っているのはその人たちの残した言葉でしょうかね。作家にとってすべては言葉、言葉、言葉なんです〉とも書いています。

「〈作家にとってすべては言葉、言葉、言葉〉というのはチェーホフ（の戯曲）『かもめ』に出てくる（筒井さんが俳優として演じたことのある）トリゴーリンという作家に投げつけられる科白からのパクリです（笑）。必ずしもそうではないと思っておりますが」

――作家にとって、残した言葉が死後も読まれ続けることは、死に打ち勝つような喜びがあるものでしょうか？

「死後、自分の小説が読まれ続けるかどうかについては、まったく興味がありません。死んでいては読まれているからといって喜ぶこともできませんから」

――破局的な災害に見舞われた近未来を描いた収録作「白笑疑（はくしょうぎ）」に〈いかに災害の惨禍を見せ戦いの惨禍を見せたって無駄／見飽きている、読み飽きている／虚無主義（ニヒリズム）と感傷主義（センチメンタリズム）の相乗効果による無感動〉とあります。

「どんなに強烈な言葉で訴えても伝わらないものがあるという絶望感です。何かの運動に関わっている人や何かを主張しようとする人にとっては特にそうではないでしょうか」

――太平洋戦争中の南洋での死者たちを悼んだ収録作「南蛮狭隘（きょうあい）族」は、あえて「不謹慎」とも取れる表現を一部に取り入れることで、この「伝わらないジレンマ」を乗り越えようと？

「だからこそのブラック・ユーモアだと思います。反戦、反核など、真面目にやっている人の無力感には壮絶なものがあると思います」

死生観はハイデガー一筋

——コロナ禍によって、私たちは「人ごと」だったはずの死の可能性を突然つきつけられ、恐れおののいているようです。この1年、コロナによる死の恐怖を感じたことはありますか？

「小生、もう歳ですから、コロナはさほど怖くありません。むしろ若い人たちや壮年の元気な人が、こんな時にもかかわらず規制を無視した夜の飲食店に溢れているのを見て、もう笑うしかありません。無神経にも程があります。後遺症などの恐ろしさをどう思っているのか。外出は妻と交替で二日に一度、三日に一度、食糧を買いに行くだけです。それ以上不必要に怖がることもないでしょう」

——「ジャックポット」には〈このような災厄が起ってしまった以上は、もう今までのような物語は書けもするまい読まれもするまい〉とあります。コロナの後に書くとしたら、どのような作品になるのでしょうか？

「全力で『ジャックポット』収録の諸作品を書いたあと、何も書かないわけにもいきませんから、何か思いつくたびに十枚ほどの掌篇を書いております。ですから使命感などもなく、内容もばらばらです。勿論、読者や編集者への責任がありますから、面白くないものは書きません」

――朝日新聞に朝刊連載小説『聖痕』（２０１２年７月～13年３月）を執筆した際には、長男で画家の伸輔さんが「挿絵」として蜜蠟画を描きました。２０２０年２月、伸輔さんを食道がんで亡くされました。連載時の共同作業の思い出をお聞かせください。

「連載何回か分を読んでもらっては描いてもらいました。蜜蠟画は大変だからドローイングでいいと言ったんですが、伸輔は蜜蠟画にこだわって、最後まで全部蜜蠟画でやってしまいました。小さな絵なので腹這いになって描かねばならず、そのために胸を痛めたようです」

——亡くなった息子と夢の中で再会するという私小説的な収録作「川のほとり」は、実際に伸輔さんが夢に現れたことが、執筆のきっかけになったのでしょうか？

「あくまで創作ですから、実際にあんな夢を見たわけではありません」

——筒井さんは哲学として、死後の世界を否定する立場だと思います。それだけに、筒井さんを思わせる主人公〈おれ〉が漏らしたひと言〈（伸輔さんはもう）どこにもおらん〉は、哀切きわまる言葉と受けとめました。

「哀切きわまる、というのは小生の作品に対するお褒めの言葉と受け取っておきます。ただあの作品が評判になったために小生まで話題になったことが気に食わない人からツイッターで『息子の死で哀れみを乞う老人』と書かれてしまいましたがね（笑）」

——あまりにも突然、伸輔さんを亡くされたことで、死生観に変化はありましたか？

「死生観は以前のまま、ハイデガー一筋です。勿論、〈自らが死にゆく存在であることを受けとめ、その自覚から生をとらえ直そうとする〉先駆的決意性には到（いた）っておりませんが」

（2021年3月12日配信、聞き手・上原佳久）

あとがき

本書は、2020年から2021年にかけて朝日新聞デジタルで配信され、特集「コロナ後の世界を語る　現代の知性たちの視線」に掲載した論考とインタビューをまとめたものである。

朝日新聞デジタルでは、日々100本を超える記事を配信している。各記事のアクセス数は、そのとき、そのときの世相を色濃く映し出す。

コロナ前の2019年、アクセス数が上位だった記事を改めて集計してみると、人々は、相次ぐ災害に苦しみながらも、新しく迎えた「令和」の時代に沸いていたことを思い出す。当時は、台風19号の被害を受けた被災地の様子とともに、天皇・皇后両陛下のパレード、華やかな饗宴(きょうえん)の儀の記事などが多数のアクセスを集めていた。

ところが、2020年2月を境にデータは一変する。アクセス上位の記事の見出しには、「コロナ」「マスク」「感染」などの言葉がずらりと並ぶ。欧米など世界各地での感染拡大、医療危機、ロックダウン。日本においても、緊急事態宣言、感染者への中傷の問題、闘病記、休業補償の課題、ガラス越しの家族との別れなどの記事が並ぶ。改めて、世界中を覆ったコロナ禍の凄絶(せいぜつ)さに息をのむ。

2021年春以降、ワクチンの接種が進んでいるが、コロナ禍の影響は、数々の指標にも表れている。自殺者数は増加に転じ、出生率は低下している。

こうした中、二冊目として刊行される「コロナ後の世界を語る」も、長引くコロナ禍への読み解きになっている。本書で「現代の知性たち」が指摘するテーマは極めて多彩だ。

マルクス・ガブリエル氏は、アプリによる行動確認など「(感染が本格的に拡大する)半年前であれば市民から相当の反発を受けたであろう政策を、現実のものにしています」と述べ、民主主義の国においても、コロナ禍の間に、市民が自由を制約されることに抵抗を持たなくなった現状を指摘する。

多和田葉子さんは、日本について、無策の政府に対し「国民は社会全体のことを心配して自分でできることを進んでしている」と話す。そして、今後、ウイルスよりも、米中両国の冷戦の場となることや、「社会が揺るがされた時に出てくる弱点」の危険性に言及する。確かに、台湾海峡をめぐり米中の対立は激化している。二つの大国の間で日本はどう振る舞うのか。新型コロナウイルスを乗り越えても、新たな危機が目の前にある。

コロナ禍で政府は莫大な支出をしており、このつけも、国民にまわってくる可能性が高い。これからの世の中、暗いトンネルのような時代を生きていかなくてはならないのか、と、ふさぎ込んだ気持ちにもなるが、張り詰めた思いを解きほぐしてくれるのも、また、賢者の言葉である。

数え100歳、戦争も経験した大正生まれの瀬戸内寂聴さんにとっても、コロナ禍は想像もしなかった「不気味な歳月」だという。それでも、瀬戸内さんは「どんなに孤独で苦しくても、その苦しみは永遠には続きませんよ」と説き、「生きるとは、さみしさをなぐさめ合うことです」と語る。

本書は短い中に、それぞれの識者の思いが詰まっている。心にとまったインタビューや寄稿があれば、ぜひ、その識者の著書をひもといて、より深くその世界に入っていただけたらと思う。もし、本書がその道しるべになれば幸いだ。

今回も朝日新聞デジタルの作業を担当してくれた大波綾さん、伊藤あずささん、江向彩也夏さんほか、コンテンツ編成本部の皆様、ありがとうございました。

そして、再び書籍として、この企画を読者の皆様に届ける機会を与えてくださった朝日新聞出版の大崎俊明さんに心から感謝いたします。

朝日新聞東京本社編集局コンテンツエディター　三橋麻子

大阪生活文化部

上原佳久（瀬戸内寂聴氏／インタビュー、筒井康隆氏／メール
　インタビュー）

吉村千彰（多和田葉子氏／インタビュー）

文化くらし報道部

興野優平（金田一秀穂氏／インタビュー）

科学医療部

瀬川茂子（岩田健太郎氏／インタビュー）

月舘彩子（岩田健太郎氏／インタビュー）

GLOBE編集部

大牟田 透（出口康夫氏／インタビュー）

朝日新聞社
『私たちはどう生きるか　コロナ後の世界を語る２』
取材班

オピニオン編集部
稲垣直人（桐野夏生氏／寄稿編集）
尾沢智史（西浦博氏／インタビュー）
塩倉 裕（東浩紀氏／インタビュー）
高久 潤（マルクス・ガブリエル氏／インタビュー、宇佐見りん氏／寄稿編集）
田中聡子（阿川佐和子氏／インタビュー、金原ひとみ氏／インタビュー）
中島鉄郎（柳田邦男氏／インタビュー）

国際報道部
合田 禄（ロバート キャンベル氏／インタビュー）
青山直篤（カーメン・ラインハート氏／インタビュー）
石田耕一郎（オードリー・タン氏／インタビュー）
江渕 崇（クラウス・シュワブ氏／インタビュー、グレン・ワイル氏／インタビュー）
河原田慎一（パオロ・ジョルダーノ氏／インタビュー）
篠 健一郎（ロバート・キャンベル氏／インタビュー）

本書は朝日新聞デジタル連載「コロナ後の世界を語る
現代の知性たちの視線」を書籍化したものである。
事実関係は原則として掲載当時のものである。

朝日新書
831

私たちはどう生きるか

コロナ後の世界を語る2

2021年8月30日第1刷発行

著　者　阿川佐和子　東 浩紀　岩田健太郎　宇佐見りん
オードリー・タン　カーメン・ラインハート　金原ひとみ
桐野夏生　金田一秀穂　クラウス・シュワブ
グレン・ワイル　瀬戸内寂聴　多和田葉子　筒井康隆
出口康夫　西浦 博　パオロ・ジョルダーノ
マルクス・ガブリエル　柳田邦男　ロバート キャンベル

編　者　朝日新聞社

発行者　三宮博信
カバーデザイン　アンスガー・フォルマー　田嶋佳子
印刷所　凸版印刷株式会社
発行所　朝日新聞出版
〒104-8011　東京都中央区築地5-3-2
電話　03-5541-8832（編集）
03-5540-7793（販売）

Published in Japan by Asahi Shimbun Publications Inc.
ISBN 978-4-02-295135-9
定価はカバーに表示してあります。

落丁・乱丁の場合は弊社業務部(電話03-5540-7800)へご連絡ください。
送料弊社負担にてお取り替えいたします。